फुरसती चैनल

अजय मोक्षमार

REDGRAB books
redgrabbooks.com

Published By

Redgrab Books Pvt. Ltd.
942, Mutthiganj, Prayagraj, 211003
www.redgrabbooks.com
contact@redgrabbooks.com

First published by Redgrab Books in 2025

Printed and bound in India
Cover Design &by Redgrab Books team

ISBN : 978-93-95697-54-5

"फुरसती चैनल" कहानियां भले न पढे,

लेकिन किताबों की धूल जरूर झाड़ते रहें।

शायद पढ़ने की इच्छा ही जाग जाए,

और यूट्यूब तथा वॉट्सएप की बीमारी से छुटकारा मिल जाए।

अनुक्रमणिका

अभिस्वीकृति

'कोरोना काल में विश्व में आई आपदा के कारण, नकारात्मकता से अपने आपको और अपने परिवार को सकारात्मक जीवन जीने के लिए, और दिमाग को नकारात्मकता से दूर रखने के लिए, चंद शब्दों को बुनकर अपनी मनपसंद कहानियों की सुंदर माला पिरोने की प्रेरणा मिली। इसमें मेरी दोनों बेटियां आशिता मोक्षमार, आयुषी मोक्षमार एवं धर्मपत्नी श्रीमती सुनीता मोक्षमार भी समय-समय पर प्रोत्साहन रूपी काढ़ा देकर इम्यूनिटी बढ़ाते रहे।

आप लोगों से भी उम्मीद करता हूं कि मेरी पिरोई हुई माला के फूलों की खुशबू का आनंद लें।

अजय मोक्षमार

9977995722

1.
रांग नंबर

यह कहानी उन लाखों युवाओं की है जो इंजीनियरिंग की डिग्री प्राप्त करने के बाद, पापा की पेंशन पर जिंदगी गुजारने को मजबूर हैं।

"हेलो, क्या मैं मिस्टर जिग्नेश पटेल जी से बात कर सकता हूं?" "सॉरी, रांग नंबर," दूसरी तरफ से आवाज आई। "वैसे आप बोल कौन रहे हैं?" थकी हुई आवाज में, "जी, मैं स्वपनिल सक्सेना बोल रहा हूं।" "अच्छा, अच्छा," फोन कट जाता है।

विमलेश पटेल जी फोन रखने के बाद कुछ देर सोचते रहे कि जिग्नेश पटेल उन्हीं का बेटा है, जो एक फर्टिलाइजर कंपनी का मालिक है। हो सकता है यह फोन उसके किसी परिचित का हो, उसे कोई जरूरी काम हो। विमलेश जी मल्टी नेशनल कंपनी से रिटायर हो चुके थे। 40 साल पहले जिग्नेश ने एग्रीकल्चर में इंजीनियरिंग की थी। उसके बाद चार-पांच साल अमेरिका में फर्टिलाइजर कंपनियों में जॉब किया। लेकिन पापा के रिटायर होने के बाद अहमदाबाद आकर खाद बनाने की फैक्ट्री खोल दी, जो उसकी मेहनत के कारण चल निकली। उसमें पापा के अनुभव का बहुत योगदान था।

विमलेश जी ने फोन उठाकर फिर से वही नंबर डायल किया। स्वपनिल ने फोन उठाया, "हेलो, आप कौन बोल रहे हैं?" विमलेश जी मज़ाकिया अंदाज में बोले, "मैं रांग नंबर बोल रहा हूं। फोन मत काटना और बताओ क्या काम था जिस कारण आपने जिग्नेश पटेल को फोन लगाया था?" स्वपनिल, "अंकल, आप जानकर क्या करेंगे?" फिर बताने लगा, "मैं बेरोजगार एग्रीकल्चर इंजीनियरिंग पास युवक हूं। पापा

की पेंशन पर गुजारा कर रहा हूं। पांच साल हो गए इंजीनियरिंग किए हुए। आज तक कोई छोटी-मोटी नौकरी इस पढ़ाई के कारण नहीं मिल पाई। दो-चार जगह इंटरव्यू दिया पर बात नहीं बनी।"

विमलेश जी को लगा स्वपनिल काफी दुखी है। उनके मन में उसके बारे में और जानने की जिज्ञासा हुई। उन्होंने कहा, "और विस्तार से बताओ अपने और अपनी फैमिली के बारे में।" स्वपनिल बोला, "मेरे मन का गुबार क्यों निकलवाना चाह रहे हैं, अंकल? अंकल, हम दो भाई एक बहन हैं। बहन की शादी हो चुकी है। पापा रिटायर हो चुके हैं। घर में पढ़ाई में होशियार था, इसलिए पापा ने अपनी मेहनत की गाढ़ी कमाई से मुझे पढ़ाया। लेकिन अच्छी नौकरी न मिल पाने के कारण उनके सपनों पर पानी फिर गया। आजकल उदास रहते हैं। यह केवल मेरी ही नहीं, ऐसे लाखों युवाओं की यही कहानी है, जो 60 परसेंट से 70 परसेंट लेकर भी बेरोजगार घूम रहे हैं या छोटी-मोटी नौकरी कर रहे हैं।"

"चलो बेटा, ऊपर वाले ने भी तुम्हारे बारे में कुछ सोचा होगा," कहकर फोन काट दिया। फिर पेपर ढूंढकर उसमें विज्ञापन पढ़ने लगे, जिसमें जिग्नेश ने इंजीनियर की वैकेंसी निकाली थी। शाम को डाइनिंग टेबल पर खाना खाते समय पापा ने जिग्नेश से रांग नंबर वाली बात छेड़ी। बताया कि मैंने बातों-बातों में उसका इंटरव्यू ले लिया। वह एक होनहार लड़का लगा। बाकी फाइनल डिसीजन तुम्हें उसका इंटरव्यू लेकर करना है। जिग्नेश बोला, "पापा, आपने बात की है तो बालक वाकई अच्छा ही होगा। क्योंकि आपके अनुभव के कारण ही तो मैं इस मुकाम पर पहुंचा हूं।"

दो दिन बाद विमलेश जी ने स्वपनिल को फोन लगाया, और बोले, "यार, तुम ऑफिस क्यों नहीं चले जाते, विज्ञापन में एड्रेस भी डला होगा। इंटरव्यू वाले दिन अच्छी तैयारी करके जाना।" "जी अंकल, ज़रूर जाऊंगा।"

चार दिन बाद स्वपनिल का फोन आया, "अंकल, मैं नौकरी के लिए सिलेक्ट हो गया। तीन महीने की अप्रेंटिसशिप ट्रेनिंग है। कल से जॉइन करना है।" वह आज बहुत खुश था। विमलेश जी ने मुस्कुराकर फोन रख दिया। तीन माह बाद फिर स्वपनिल का फोन, "अंकल, मैं आपको मिठाई खिलाना चाहता हूं। मेरी नौकरी पक्की हो गई है, 25,000 तनख्वाह है। आप का एड्रेस दो, शाम को घर आऊंगा।" विमलेश जी

ने एड्रेस दे दिया।

शाम को विमलेश जी और जिग्नेश लॉन में चाय पी रहे थे। तभी स्वपनिल आ गया और देखकर चौंक गया, "जिग्नेश सर अंकल के साथ चाय पी रहे हैं!" उसने दोनों के पैर छुए और मिठाई का डिब्बा टेबल पर रख दिया। अंकल ने बताया, "जिग्नेश मेरा बेटा है।" स्वपनिल बोला, "अंकल, आप रांग नंबर नहीं, राइट नंबर हो।"

2.
सपने (नाटक)

"दिन में खुली आंखों से देखे गए सपने, भविष्य की नींव होते हैं।" स्थान: सागर प्रीमियम टावर ठेले पर सपने बेचने वाली बाई आवाज लगाती है, "सपने ले लो सपने ले लो, रंगबिरंगे ताजे-ताजे, नए जमाने के सपने, सपने ले लो सपने।"

आवाज सुनकर फ्लैटों की बालकनी से महिलाओं की आवाजें आने लगती हैं, "शांत बाई, रुकना।" शांत बाई मन ही मन सोचने लगती है, जब सब्जी बेचा करती थी तो मेडमें धनिया-मिर्ची लेकर चली जाती थीं। पूछने पर बोलती थीं, "तुम्हारे अंकल या भैया हाट से हफ्ते भर की इकट्ठा सब्जी ले आते हैं।" मन ही मन खुश भी होती है कि धंधा बदलकर अच्छा किया।

मेडमें ठेले पर आने लगीं, सबसे पहले शर्मा आंटी, श्रीवास्तव भाभी, जायसवाल भाभी पूछने लगीं, "शांता बाई, कौन-कौन से सपने लाई हो?" शांता बाई, "पूरा ठेला भरा पड़ा है सपनों से," शांता बाई एक-एक टोकरी के सपने के बारे में बताने लगती है, "नेता बनने के सपने, हीरो बनने के सपने, मोटिवेशनल स्पीकर बनने के, क्रिकेटर बनने के सपने, अमीर बनने के सपने, बच्चों को इंजीनियर, डॉक्टर, वकील बनाने के सपने, शादी-ब्याह के सपने, सास-बहू के सपने, बाबा बनने के सपने।"

अपने-अपने सपने खरीदने के चक्कर में मेडमें और कुछ कॉलेज की लड़कियां ठेले को घेर लेती हैं, मतलब भीड़ हो जाती है। महिलाएं उलट-पलट कर सपने देखने लगती हैं और बीच-बीच में एक-दूसरे से बातें भी करती जाती हैं। शांता बाई पूछती है, "हां मेडम, कौन-कौन से सपने चाहिए, बता दो मैं एक-एक करके देती जाऊंगी।

हर सपना पचास रुपये का, बाद में झिकझिक मेरे कोई पसंद नहीं, इसलिए सब्जी का धंधा बंद कर दिया।"

सभी महिलाएं एक-दूसरे से छिपाकर अपने-अपने सपनों का पेमेंट करके जाने लगती हैं। जाते-जाते जायसवाल आंटी रुककर पूछती हैं, "शांत बाई, सरकारी नौकरी के सपने कब लाओगी?" शांता बाई थोड़ा गुस्से में आ जाती है और बोलती है, "मेडम, खाली-फोकट झूठे सपने मैं नहीं बेचती, मेरा नया-नया बिजनेस है। मेरा सेठ बोलता है कि सरकारी नौकरी के सपने होलसेल मार्केट में आना ही बंद हो गए हैं।" होलसेल मार्केट को शांता बाई ठोल-सेल बोलती, क्योंकि सेठ का पेट ढोल जैसा रहता था।

शांता बाई खुश होती है, "आज तो धंधा अच्छा हुआ, खूब माल बिक गया था।" लगभग ठेला खाली हो गया था। शर्मा आंटी और उनके साथ घूंघट में आई नई बहू के सपने के बारे में सोचने लगती है। शर्मा आंटी ने अपने लिए पोते का सपना लिया था, और बहू ने अपने लिए चांद सी गुड़िया का सपना लिया था। शांता बाई मन ही मन दुआ करती है कि बहू का सपना पूरा हो जाए। तभी महिलाओं की भीड़ में से आवाज आती है, "अच्छा, यह तो बताओ कि फिर कब आओगी?" "आप लोग यह बताओ कि मेरे सब्जी का ठेला वॉट्सएप से जुड़ा हो?" दो-चार आवाजें आती हैं, "हां भाई, जुड़े हैं।" "तो फिर मैं अपने आने का कार्यक्रम उसमें डाल दूंगी।" "अरे वाह, शांता बाई," सभी हंसने लगते हैं।

3.
वसीयत

नवंबर का महीना, सुबह के आठ बज रहे थे। सुबह की गुनगुनी धूप में अरोड़ा साहब गार्डन में अखबार पर नजरें गढ़ाए देश-दुनिया का हाल जानने की कोशिश कर रहे थे। अरोड़ा साहब की धर्मपत्नी, जिनका नाम लक्ष्मी था, गार्डन में माली से पेड़-पौधों की कटाई-छंटाई करवा रही थीं। इतने में नौकर चाय लेकर आता है, "मेम साहब, चाय।" "मेम साहब, हां रख दो।" लक्ष्मी साड़ी के पल्लू से अपना चश्मा साफ करती हुई आकर दूसरी गार्डन चेयर पर बैठ जाती है और चाय का कप अरोड़ा साहब को देती है।

अरोड़ा साहब की गिनती कानपुर के जाने-माने उद्योगपतियों में हुआ करती थी। "कर्म ही पूजा है" वाले सिद्धांत पर इतना बड़ा साम्राज्य अपने दम पर खड़ा किया था। अरोड़ा साहब को पत्नी के रूप में साक्षात लक्ष्मी मिली थीं, जो एक समझदार एवं स्वावलंबी महिला थीं। भगवान ने औलाद के रूप में दो सुपुत्र दिए थे। बड़ा युवराज, छोटा शोभराज। दोनों की उम्र में ज्यादा अंतर न होने के कारण भाई कम, दोस्त ज्यादा थे। ऐशो-आराम के कार्यों में दोनों एक-दूसरे का भरपूर साथ देते थे। बड़ी मुश्किल से ऐशो-आराम से समय निकालकर कॉलेज की पढ़ाई थर्ड क्लास डिब्बे में बैठकर पूरी की। बस यही टीस दोनों पति-पत्नी को चुभा करती थी, शायद परवरिश में तपती हुई धूप की कमी रह गई थी, जो संपन्न होते हुए भी निर्धनता का एहसास कराती थी।

फुर्सत के पलों में अरोड़ा साहब अपने इष्ट मित्रों एवं शुभचिंतकों से राय-मशविरा किया करते थे, किंतु आज तक कोई हल नहीं निकल पा रहा था। फिर एक दिन अरोड़ा साहब की बहन जो लखनऊ में ब्याही थी, वे घर पधारीं। भाई-बहन से

मिलकर और बहन भाई-भाभी से मिलकर बहुत खुश हुई। लेकिन दो दिन में खुश होने के साथ-साथ भांप गई कि भैया-भाभी कुछ परेशान हैं। बहन को इस बात का एहसास तो था, क्योंकि बच्चों की परवरिश (ज्यादा लाड-प्यार) में कोई कमी नहीं थी। छोटी थी, भाई साहब और भाभी से पूछने पर अंदाजा सही निकला। दोनों सुपुत्रों की दिनचर्या सूर्य देवता को दिन के 2 बजे गुड मॉर्निंग से शुरू होती थी। रात में तीसरे पहर चांद भाई घर छोड़कर जाते थे।

अरोड़ा साहब की बहन यह अच्छी तरह जानती थी कि घर में इतने नौकर-चाकर की फौज होने के बाद भी भाभी ने अपने आप को गृह कार्यों में व्यस्त रखा, नौकर के भरोसे नहीं रही। रात डाइनिंग टेबल पर खाना खाते वक्त भाई-बहन और भाभी की गपशप चल रही थी। बातों-बातों में बहन में मुंह से निकल गया कि, "भैया, दोनों की शादी कर दो, जिम्मेदारी आने पर शायद सुधर जाएं।" अरोड़ा साहब ने सोचा, इसके अलावा कोई दूसरा रास्ता था भी नहीं। पति-पत्नी के बात समझ में आ गई थी। इतने संपन्न परिवार को देखते ही बहुत से रिश्ते आने लगे। छानबीन के बाद दो मध्यम परिवारों की सुंदर कन्याओं से शादी कर दी गई और अरोड़ा खानदान में नई पारी की शुरूआत हो गई।

अरोड़ा साहब की पत्नी में एक खासियत थी, उनका सिक्स सेंस बहुत ही पावरफुल था। वह आने वाली समस्या को भांपकर समाधान ढूंढ लेती थी, लेकिन अपने मन की संतुष्टि के लिए। दो नए मेहमानों के रूप में आई हुई नई बहुओं ने महल जैसी कोठी और अंदर की सुख-सुविधाओं, नौकर-चाकर देखकर किस्मत लिखने वाले को लख-लख धन्यवाद दिया और कार की बगल वाली सीट पर बैठ गई।

समय का पहिया घूमता रहा, सुधार की उम्मीद छोड़कर दोनों पति-पत्नी दर्शक बनकर रह गए। लेकिन लक्ष्मी ने पहले की भांति दिनचर्या जारी रखी। शायद वर्तमान के हालातों को देखकर ढलती उम्र का एहसास नहीं होने दिया। नाती-पोतों का मुंह देखकर अरोड़ा साहब ने कल रात में दुनिया को अलविदा कह दिया। आज उनकी शव यात्रा की तैयारी चल रही थी। रिश्तेदार एवं जान-पहचान वालों की काफी भीड़ लग चुकी थी। लक्ष्मी देवी रो-रोकर थककर चुपचाप गुमसुम बैठी हुई थी।

तभी फैमिली वकील ने आकर लक्ष्मी से इजाज़त लेकर वसीयत पढ़ना शुरू

किया, जिसमें इकलौती बहन को एक फैक्ट्री देकर बाकी संपत्ति की जिम्मेदारी लक्ष्मी देवी सौंप दी गई थी। संपत्ति में बेटों को हिस्सा न मिलने के कारण दो बहुएं कुछ झल्ला सी गईं, लेकिन समय को देखते हुए चुप रहना ही उचित समझा। क्रियाकर्म के दिन बीत गए। लड़कों ने थोड़े दिन तक गंभीरता दिखाई, लेकिन फिर वही ढर्रा। लक्ष्मी जानती थी कि अपने सिक्के खोटे हों तो किसी को क्या दोष देना। अरोड़ा साहब को समय-समय पर बिजनेस में हाथ बंटाने के कारण लक्ष्मी को काम संभालने में दिक्कत नहीं आई।

समय का पहिया फिर चल पड़ा। लक्ष्मी फैक्ट्री के देखरेख के कार्यों में व्यस्त रहने लगी। पापा की मौत के बाद बेटे भी अब थोड़ा-थोड़ा मम्मी का हाथ बंटाने लगे। अरोरा साहब को गए 10 वर्षों से ज्यादा बीत गए। उम्र बीतने के साथ अब लक्ष्मी भी अस्वस्थ रहने लगी थी। बेटों में अभी पूरी तरह सुधार नहीं आ पाया था। वह दिन भी आ गया, लक्ष्मी ने बीमारी के कारण दुनिया को अलविदा कह दिया। बहुओं को सास के जाने का गम कम, आजाद होने की खुशी ज्यादा थी, क्योंकि मां के बाद संपत्ति दोनों बेटों में बंटनी थी। बहुएं वकील साहब का इंतजार टकटकी लगाए कर रही थीं और बीच-बीच में थोड़ा-थोड़ा रो भी रही थीं। बेटे भी गमगीन थे। शवयात्रा निकलने से पहले वकील साहब आ ही गए। वसीयत सुनने के चक्कर में बहुएं रोना भूल गईं। वकील साहब ने वसीयत पढ़ना शुरू किया तो बहुएं फूट-फूटकर अर्थी से लिपटकर जोर-जोर से रोने लगीं, क्योंकि वसीयत के अनुसार लक्ष्मी ने दो बहुओं को घर की लक्ष्मी बताया और अपार संपत्ति बेटों के नाम न कर बहुओं के नाम कर गई थी।

4.

पम-पम

"शिक्षक नई इमारत की दूसरी ईंट होता है।" कॉलेज में आज बी.एड. फाइनल एग्जाम के फॉर्म भरे जा रहे थे। सो आज काफी भीड़ कॉलेज कैंपस में नजर आ रही थी। हमने भी अपना फॉर्म जमा कर दिया था और पेड़ के नीचे बैठकर अपने कॉलेज के बीते दिनों की यादें ताजा करने एवं भविष्य में मास्टर बनने के सपनों के बहते हुए दरिया में गोते लगा रहे थे। हमारी क्लास की शालिनी जिसकी एक तीन साल की बेटी थी, आज उसके साथ कॉलेज आई थी, जो उसे फॉर्म नहीं भरने दे रही थी। रोए जा रही थी।

बेचारी शालिनी बच्ची को चुप कराए या कभी फॉर्म भरने की कोशिश कर रही थी। लेकिन हार कर इधर-उधर देखने लगी, शायद कोई उसकी मदद कर दे। जैसे मेरी तरफ देखा तो मैं मदद करने उसकी तरफ चल दिया। पास ही कैंटीन से एक टॉफी खरीदी। शालिनी कहने लगी, "भैया, 10 मिनट इसे संभाल लो ताकि मैं अपना फॉर्म भर दूं।" मैंने जैसे ही गुड़िया को गोद में लेने के लिए हाथ बढ़ाया तो वह फिर रोने लगी। फिर मैंने जेब से लंबी वाली टॉफी निकाली और उसके हाथ में दी। तो वह तुरंत रोना बंद कर मेरी गोद में आ गई। शालिनी हंसते हुए कहने लगी, "भैया, यह बहुत शैतान हो गई है।" दोनों हंसने लगे।

मैं गुड़िया को लेकर कॉलेज कैंपस के गेट पर जाकर खड़ा हो गया और उसे रोड पर आती-जाती गाड़ियां दिखाने लगा। और गाड़ियों के हॉर्न बजते ही मैं मुंह से 'पम-पम' बोलकर उसे बहलाने लगा। गुड़िया ने रोना बंद कर अब आने-जाने वाली गाड़ियों की आवाज सुनकर खुद भी बोलने लगी 'पम-पम' और खुद खुश हो रही

थी। आधा घंटा कब बीत गया पता ही नहीं चला। शालिनी ने फॉर्म भरकर जमा भी कर दिया और हमें पीछे से आकर आवाज दी, "भैया, बहुत-बहुत धन्यवाद," कहकर गुड़िया को गोद में ले लिया। लेकिन जाते-जाते गुड़िया टुकुर-टुकुर देखते हुए कहती जा रही थी, "पम-पम," हंसती भी जा रही थी।

वक्त का पहिया आगे बढ़ता चला गया। हमें बी.एड. के रिजल्ट के बाद पास ही के गांव में संविदा शिक्षक की नौकरी मिल गई। और घरवालों ने भारतीय परंपरा के अनुसार हाथों में हथकड़ियां पहना दी, यानी हमारी भी शादी हो गई। एक दिन हम अपनी दो वर्ष पुरानी दुल्हन के साथ शाम को मार्केट की रौनक निहार रहे थे। अचानक हमें किसी गुड़िया की आवाज आई, "पम-पम।" पीछे पलट कर देखा तो एक दस साल की लड़की हमारी ओर दौड़कर आई और बोली, "अंकल, पम-पम।" हमारी दुल्हन ने हमें खा जाने वाली नजरों से घूरकर देखा। लेकिन तब तक शालिनी और उसके पतिदेव गुड़िया के पीछे-पीछे आ गए। गुड़िया हमारा हाथ थामे खड़ी थी। शालिनी ने आते ही पूछा, "भैया, यहां कैसे?" हमने नए मेहमानों का एक-दूसरे से परिचय कराया। मैंने शालिनी को सपरिवार पास ही के रेस्टोरेंट में कॉफी पीने का आमंत्रण दिया जिसे उनके पतिदेव सहर्ष मान गए। कॉफी के साथ-साथ गुड़िया से बातें और पिछली यादें ताजा एवं भविष्य से अपेक्षाओं के साथ हम लोग एक-दूसरे को फिर मिलने का वादा कर अपने-अपने घर की ओर रवाना हो गए।

लगभग पैंतीस वर्ष मास्टरी करने के बाद आज हम कोर्ट में पेड़ के नीचे किसी अनजान वकील का इंतजार कर रहे थे। हुआ यूं कि बीते हुए समय के साथ उतार-चढ़ाव से जूझते रहे। समय का पता ही नहीं चला और एक दुखद घटना हमारे लिए फांसी का फंदा बन गई थी। हमने बच्चों की परवरिश एवं घरेलू जिम्मेदारी निभाते हुए जिंदगी भर की जमा पूंजी (रिटायरमेंट पर मिले पैसों से) लगाकर एक दो कमरों का मध्यमवर्गीय कॉलोनी में एक मकान बुक किया था। मकान दिखाने के नाम पर बिल्डर हमें घर आकर पच्चीस लाख की चमचमाती कार में हम बूढ़ा-बूढ़ी को लेकर साइट पर ले गया। हम भी इतनी महंगी कार में पहली बार बैठे थे, और आगे भी कभी बैठने की उम्मीद नहीं थी। मकान बुक करते वक्त बिल्डर हमारे चरणों में था और संबोधन अंकल-आंटी के नाम से करता था। फिर किस्तें चालू हुईं, कभी कंस्ट्रक्शन के नाम पर, कभी डेवलपमेंट के नाम पर, और कभी सोसाइटी ड्यूज के नाम पर हमारा खून

चूसने लगा। जब हमने मकान बुक किया था तो एग्रीमेंट में मकान की कीमत बीस लाख थी। हमसे पैसा लेता गया और रसीदें भी देता गया। लेकिन मकान बनाने एवं सोसाइटी डेवलप करने में तीन साल लगा दिए। मकान का वर्तमान मूल्य तीस लाख हो गया था। अब बिल्डर की नियत में खोट आ गया। कहने लगा, "शर्माजी, मकान की और आज की महंगाई को देखते हुए आप को पांच लाख और देने होंगे तो मैं आपको मकान दे पाऊंगा।" बीस लाख की रकम देने के बाद मकान का सपना टूटता नजर आने लगा। क्योंकि जीने के लिए पेंशन के अलावा हमारे पास कोई पूंजी नहीं थी। सिर चकराने लगा। जैसे-तैसे मायूस होकर घर पहुंचे। घर आकर अपनी पत्नी को बताया तो वह दहाड़े मारकर रोने लगी। धीरे-धीरे रिश्तेदारों और दोस्तों को यह बात पता चली। बिल्डर से बहुत मिन्नतें करने एवं सारे जतन करने के बाद भी वह मकान देने को तैयार नहीं था। फिर दोस्तों की सलाह पर, 'मरता क्या न करता', कोर्ट का दरवाजा खटखटाकर कोर्ट में जा बैठा। आज शाम के पांच बजे तक वकील से मुलाकात नहीं हो पाई, तो कल फिर आने की सोचकर वापस घर जाने की तैयारी करने लगा।

पेड़ के नीचे और लोग भी उठ ही रहे थे कि, अचानक एक लंबी चमचमाती हुई कार कोर्ट से बाहर जाते हुए रुकी। उसमें से एक लगभग तीस-पैंतीस साल की लंबी सी सुंदर महिला उतरी और हमारी ओर आने लगी। साथ में बैठे हुए लोग जो उन्हें पहले से जानते थे, उठकर खड़े हो गए। कहने लगे, "शहर की सबसे बड़ी वकील साहिबा भावना सिंह इधर क्यों आ रही हैं?" मैं भी आंखें फाड़-फाड़कर उसे देख रहा था और पहचानने की लाख कोशिश करता रहा। मेरे पास आकर बोली, "अंकल, आपके साथ और कौन है और यहां कैसे बैठे हैं?" मैंने कहा, "बेटा, मैं तो अकेला ही सुबह से बैठा हूं।" अपना दुखड़ा सुनाने के लिए मुंह खोल ही रहा था कि वह कहने लगी, "आइए मेरे साथ, जहां आपको जाना है मैं छोड़ दूंगी।" ड्राइवर ने गाड़ी का पिछला दरवाजा खोला, वकील साहिबा ने मुझे कार में बैठने के लिए कहा। दोनों के बैठने पर ड्राइवर ने कार का दरवाजा बंद किया और कार मेन रोड पर दौड़ने लगी।

मेरे सोचने-समझने की शक्ति क्षीण सी होती जा रही थी। सोच रहा था कि ये वकील साहिबा मुझे कहां ले जा रही हैं। कुछ समय चलने के बाद कार एक पॉश कॉलोनी के बड़े बंगले के अंदर पोर्च में पहुंच गई। मैंने पूछा, "वकील साहिबा, ये आप मुझे कहां ले आई?" "मेरा नाम वकील साहिबा नहीं अंकल, भावना है।" नौकर

को अच्छी चाय और नाश्ते का बोलकर हम लोग आलीशान हॉल के सोफे पर बैठ गए। भावना कहने लगी, "अंकल, आप मुझे अपना केस और साथ लाए डॉक्यूमेंट बताएं, और साथ-साथ चाय-नाश्ता भी करते जाएं।" मैं मन ही मन सोच रहा था कि यह सपना है या हकीकत। कुछ समझ नहीं आ रहा था। सारा केस सुनने और समझने के बाद भावना बोली, "आप खाना भी यहीं खा कर जाएं।" मैंने कहा, "नहीं, तुम्हारी आंटी मेरा घर पर इंतजार कर रही होगी।" "अच्छा, चलो मैं आपको घर छोड़ दूंगी और आंटी से भी मिल लूंगी।" लेकिन शहर की सबसे बड़ी वकील और मेरे जैसे छोटे से मास्टर के लिए इतनी मेहरबानी कुछ समझ में नहीं आ रहा था। कार हमारे मकान के सामने रुकी। मेरी पत्नी जो बाहर दरवाजे पर ही खड़ी थी, दौड़कर आई कि इनको कुछ हो तो नहीं गया।

मुझे सही सलामत देखकर मैं साथ आई अनजान मेहमान के स्वागत में कमरा ठीक-ठाक करने लगा। भावना ने अपनत्व की भावना से "आंटी, नमस्ते," कहा। वाइफ ने पहचानने की कोशिश करते हुए "नमस्ते, बेटी," कहा और पानी लेने अंदर चली गई। पानी का ग्लास रखते हुए भावना आंटी से बोली कि, "कल सुबह 11 बजे मैं कार भेज दूंगी। आप अंकल को एक बार कोर्ट भेज देना।" पतिदेव ने मुझे बताया कि यह शहर की सबसे बड़ी वकील है और यह अपना केस लड़ेंगी। पत्नी फिर हताश हो गई कि अब फिर रोज कोर्ट के चक्कर और लाखों की फीस देनी पड़ेगी। पत्नी के जिद करने पर मैंने भावना से फीस का जिक्र किया। तो कहने लगी, "आपका मकान आपको मिल जाएगा, तो मैं अपनी फीस ले लूंगी।" और कार में बैठते हुए कहने लगी, "अब तो आना-जाना लगा रहेगा।"

दूसरे दिन ठीक 11 बजे ड्राइवर ने आकर कहा, "चलिए सर।" और हम लोग कोर्ट पहुंचकर भावना के चेंबर में बैठ गए। भावना ने सारे कागज तैयार करवाकर कोर्ट में केस रजिस्टर्ड करवा दिया। फिर कहने लगी, "अंकल, मैं अब आपको जब फोन करूं तभी आप कोर्ट आना।" लगभग दो माह में अंकल को भावना ने दो-तीन बार कोर्ट बुलाया गवाही वगैरह देने के लिए। आज कोर्ट का फाइनल डिसीजन (फैसला) आने वाला था। शाम तक कोर्ट का फैसला अंकल के पक्ष में आया। भावना ने फोन कर अंकल को खुशखबरी सुनाई, तो पूरा परिवार बहुत खुश हो गया था। अंकल दूसरे दिन कोर्ट पहुंचे तो भावना ने मिठाई का डिब्बा आगे बढ़ाकर मुंह मीठा करवाया।

फैसले में बिल्डर को सात दिन के अंदर रजिस्ट्री करवाकर मकान अंकल को देने के लिए लिखा था। और साथ ही एक लाख का हर्जाना 15 दिन के अंदर न देने पर 2 वर्ष का कठोर कारावास की सजा का प्रावधान था। अंकल ने भावना से पूछा, "बेटा, तुम्हारी फीस बता दो। आज तक तुमने एक पैसा हमसे नहीं लिया है।" भावना हंसकर बोली, "अंकल, आप मकान में गृह प्रवेश में मुझे बुलाओगे तो मैं उस दिन आपसे फीस ले लूंगी।"

इतनी बड़ी वकील की गाड़ी में अंकल का कोर्ट आने-जाने से बहुत से वकील और कोर्ट का स्टाफ भी अंकल को पहचानने लगा था। भावना की फीस के बारे में लोगों से चर्चा करने पर एक से दो लाख तक मालूम चली थी। अब अंकल का दिल बैठा जा रहा था कि इतनी बड़ी रकम का इंतजाम कैसे होगा। गृह प्रवेश के दिन भावना आ पहुंची। बरसों जानी-पहचानी महिला की तरह आंटी के साथ घर के कामों में हाथ बंटाने लगी। अंकल के सारे दोस्त और रिश्तेदार आंखें फाड़-फाड़कर देख रहे थे कि शहर की नामी वकील घर के कामों में हाथ बंटा रही है। शाम तक सारे कार्यक्रम, पूजा-पाठ, खाना-पीना चलता रहा। शाम को फिर अंकल-आंटी ने हाथ पकड़कर अपने पास भावना को बिठाया और फीस का जिक्र छेड़ा। अंकल का दिल बैठा जा रहा था कि पता नहीं फीस कितनी बोलेगी। लेकिन भावना मधुर मुस्कुराहट के साथ अंकल से बोली, "पम-पम। यही मेरी फीस है।" भावना को दोनों पति-पत्नी रोते हुए कार तक छोड़ने आए। अंकल वापस घर में आकर भी रो रहे थे और उनके दिमाग में एक पुराना भजन चल रहा था: "किए जा तू जग में भलाई के काम, तेरे दुख दूर करेंगे राम।"

5.
गौरैया (नन्ही चिड़िया)

यह एक ऐसी दो चिड़ियों का वार्तालाप है जो हमें बचपन में नींद से जगाया करती थीं। पहली गौरैया दूसरी गौरैया से, "अरी बहन, आज तुम दाना चुगने जंगल नहीं चली थी? क्या बात है, सब ठीक तो है?" दूसरी, "हां-हां, सब ठीक है। आज थोड़ा दाना-पानी देने वाली आंटी के यहां चली गई थी। चुन्नू-मुन्नू पापा के साथ जंगल जाने वाले थे न, इसलिए मैंने सोचा मैं आंटी के यहां हो आऊं।" "कौन सी दाना-पानी वाली आंटी?" "अरे यार, वो नकचढ़ी और मोटी आंटी की लाइन में ऊपर वाले मकान में किराए से रहती थी। जिनकी छत पर खूब सारे गमलों में सुंदर-सुंदर फूलों के पौधे लगे थे।" "हां-हां, याद आया, नकचढ़ी और मोटी आंटी झाड़ू लेकर हम लोगों को भगाया करती थीं। दोनों के बीच में ऊपर वाले मकान में रहती थी, जो हर गर्मियों में पक्षियों के लिए मिट्टी के सकोरों में दाना और पानी रखा करती थी।" "अरे यार, पिछली गर्मियों में मैं बच्चों को लेकर मम्मी के यहां चली गई थी न, इसलिए भूल गई। उनकी बड़ी सी छत पर हम ढेर सारे पक्षी दाना चुगने जाया करते हैं।" "हां-हां, तुम्हें और याद दिलाती हूं, जहां चुन्नू-मुन्नू पैदा हुए थे।" "हां, अब अच्छी तरह याद आ गया। बहुत अच्छा स्वभाव है वो आंटी का। उन्होंने नया मकान बना लिया है। पहले वो जहां रहती थी, रोज सुबह दाना-पानी देकर फिर नया मकान बन रहा था, उसे देखने आया करती थी। उनके पीछे-पीछे मैं भी उनके मकान पर आया करती थी।"

"आज पुरानी यादें ताजा हो गईं आंटी से बात करके। बता रही थी कि कल शाम को ही जबलपुर से लौटी हूं। पूछ रही थी कि और क्या हालचाल है। चुन्नू-मुन्नू मज़े में हैं? बहुत शैतानी करते होंगे आजकल।" मैं बोली, "चीं-चीं, हां आंटी, सब मजे में हैं।

दोनों अब बड़े हो गए हैं।" चुन्नू-मुन्नू की मां बोली, "एक बार की बात है जब शायद तुम मायके गई थी।" "उनके मकान मालिक छत पर आकर बोले, 'बहनजी, यह घोंसला हटा देते हैं। दिन भर चिड़ियां और कबूतरों का झुंड आता रहता है और छत गंदी कर जाता है। और सुबह-सुबह शोर भी मचाते हैं।' तब आंटी बोली, 'रहने दो भाई साहब। आपका तो पक्का मकान है। इन्होंने तो तिनका-तिनका जोड़कर घास-फूस का सुंदर सा घोंसला बनाया है। और फिर मैं तो रोज झाड़ू-बुहारी कर छत और पानी से धो देती हूं। शायद चिड़िया के बच्चे हैं उसमें।' उस दिन तो लगा था कि आज घोंसला टूट जाएगा। दिल घबरा रहा था कि चुन्नू-मुन्नू का क्या होगा। जैसे-तैसे आंटी के समझाने पर मकान मालिक मान गए थे। मैं और तुम्हारे भैया घोंसले में बैठे-बैठे सब सुन रहे थे।"

पहली गौरैया, "हां, तुम बता रही थी।" "एक दिन उनके आंगन में काला सांप आ गया था।" चुन्नू-मुन्नू की अम्मा बोली, "मैं उस दिन अपनी सहेलियों के साथ छत की बाउंड्री पर दाना चुग रही थी। तभी एक सहेली ने चीं-चीं कर जोर से चिल्लाकर बोली, 'दीदी, सांप आंगन में घुस रहा है।' हम सभी ने शोर मचा कर मैना रानी, कबूतर भैया, बुलबुल, बटेर मौसी को बुला लिया। और आंटी के दरवाजे पर जोर-जोर से चिल्लाए तो आंटी बाहर छत पर आ गईं, तभी हम लोग छत की बाउंड्री पर बैठकर नीचे देखते हुए चिल्लाने लगे।"

आंटी ने नीचे झांककर देखा तो सांप गेट के नीचे से अंदर से घुस रहा था। आंटी फौरन नीचे जाकर मकान मालिक आंटी से बोली, "भाभी, आंगन में सांप घुस रहा है।" फिर इन लोगों ने खूब सारे पुराने कपड़ों में आग लगाकर उसके सामने डंडे से खिसका दिए। तब कहीं जाकर वह वापस नाली में चला गया। मैंने मकान मालिक भाई साहब और भाभी को बताया कि, "मैं तो किचन में खाना बना रही थी। ये सारे पक्षियों ने दरवाजे पर आकर शोर मचाया तो मैंने छत पर आकर देखा तो पता चला सांप गेट के नीचे से अंदर घुस रहा है।" मकान मालिक समझ गए कि आज इन नन्हे पक्षियों के कारण बला टल गई। दूसरे दिन से वो लोग भी नीचे दाना और पानी रखने लगे थे।

पहली गौरैया, "और आंटी के नए मकान के बारे में भी तो कुछ बताओ।" वो बोली, "अरे, आंटी ने तो बहुत सुंदर मकान बनाया है और उसमें शानदार बगीचा भी लगाया है। एक से एक सुंदर-सुंदर पौधे लगे हैं। आज वहां बुलबुल भी मिल

गई थी। कहने लगी, 'मैं भी तुम्हारे साथ यह आंटी के यहां दाना चुगने जाया करती थी, इसलिए मैंने यहां घोंसला बनाया है। एक महीने बाद तुम लोगों का मुंह मीठा कराऊंगी। आंटी बहुत अच्छी हैं, मेरा बहुत ख्याल रखती हैं। सुबह-सुबह पूछती हैं, 'आ गई? तुम लोग रुको मैं तुम्हारे लिए दाना-पानी लाती हूं।' ये आंटी नियम की बहुत पक्की हैं। रोज सुबह उठकर झाड़ू-बुहारी कर आंगन धोती हैं। फिर नहा-धोकर रंगोली डालकर पूजा-पाठ करती हैं।" मैं बोली, "हां, आंटी के नए मकान में आकर बहुत सुकून मिलता है। समय का पता ही नहीं चलता। आजकल आंटी के देखा-देखी कॉलोनी के लोगों ने हम लोगों के लिए गर्मियों में दाना-पानी रखना चालू कर दिया है।" पहली गौरैया बोली, "एक आध दिन अपनी पुरानी सहेलियों के साथ आंटी का नया मकान देखने चलेंगे और वहीं पार्टी करेंगे।" "हां-हां, ज़रूर चलेंगे।"

6.
नंदू मिस्त्री

यह कहानी छत्तीसगढ़ से आए अनपढ़ बेरोजगार युवक की है जो अपने मित्रों के साथ रोजगार की तलाश में भोपाल आया था। यह 20 साल पुरानी बात है। नंदू नामक 14-15 साल का लड़का भोपाल शहर की एक निर्माणाधीन कॉलोनी के एक मकान के कमरे में अपने साथी लेबरों के साथ रहता था। उन लोगों ने ठेकेदार से बोलकर उसे भी हेल्पर के काम पर लगवा दिया था। रोज सुबह नहा-धोकर, खाना बनाकर खाकर और टिफिन बांधकर काम पर निकल जाना, यही लेबरों की दिनचर्या थी। शाम को वापस आकर खाना खाकर सो जाना। इस कॉलोनी में उस समय लाइट भी नहीं थी।

इन लोगों का मनोरंजन और शौक दिन भर कड़ी मेहनत और दो टाइम भोजन ही था। कभी-कभार शाम को छत्तीसगढ़ी लोकगीत गाकर नाच-गा लेते थे। हफ्ते भर में एक दिन पास ही में साप्ताहिक हाट लगता था। उस दिन यह लोग अपनी जरूरत की चीजें और सब्जियां हाट से ले लिया करते थे। हाट के एक दिन पहले लोगों को मजदूरी मिला करती थी। उस दिन मुर्गा, मछली बनाकर जश्न मनाया करते थे। कुछ लेबर हफ्ते भर की थकान दूर करने के लिए देसी दारू का शौक कर लेते थे। वैसे छत्तीसगढ़ 'धान कटोरा' कहलाने के कारण मुख्य भोजन चावल और सब्जी होता था। नंदू यहां अकेला रहता था, बाकी लेबरों का परिवार था। वह थोड़ा हकलाता भी था। यह हकलाहट ही उसके मेहनती और ईमानदार होने का सबूत था।

धीरे-धीरे समय के साथ नंदू की दोस्ती रेत, गिट्टी, सीमेंट और लोहे के सरियों वाले से पक्की होने लगी थी। हमारी कॉलोनी में कुल दो-चार परिवार ही रहा करते थे। भोपाल से 15 किमी दूर होने के कारण ऑफिस से आने के बाद बिल्डर द्वारा बनवाए

गए एक दुर्गा मंदिर था। जिसके सामने बनी पुलिया पर हम लोगों की बैठक हुआ करती थी। सीधे-साधे सरल स्वभाव का होने के कारण हम लोगों की नंदू से दोस्ती हो गई थी। अक्सर वो भी हमारे पास बैठकर हमारी बातें सुना करता था। उसकी छत्तीसगढ़ी बोली अच्छी लगती थी।

चार-पांच साल में नंदू अपने हुनर में माहिर हो गया। उसे अब मजदूरी भी ज्यादा मिलने लगी थी। पैसे बचाकर उसने एक सेकंड हैंड साइकिल खरीद ली थी। काम पर उसी से आया-जाया करता था। छुट्टी के दिन भी किसी के मकान के छोटा-मोटा काम होता था, तो नंदू को ही बुलाया करते थे। नंदू के काम में मजबूती और सफाई थी। पूरी लगन से काम करता था। उसमें भी उसे दो पैसे मिल जाते थे। एक दिन सामने वाले शर्माजी मुझसे चर्चा करने लगे, "भाई साहब, हमने पड़ोस की कॉलोनी में एक प्लॉट खरीद लिया है। किससे मकान बनवाएं?" चूंकि उन्हें मालूम था हम लोग बचपन से ही भोपाल निवासी हैं, शायद इसलिए पूछा हो। लेकिन उस समय मेरे मुंह से निकल गया, "आप नंदू मिस्त्री से मकान बनवाओ।" शर्माजी भी नंदू को अच्छी तरह जानते थे, क्योंकि संडे की फिल्म नंदू बाकी लेबरों के साथ नीचे बैठकर शर्माजी के घर पर देखा करता था। मैंने शर्मा जी से कहा, "आप मकान ठेकेदार से बनवाने के बजाय नक्शा आर्किटेक्ट से बनवाकर नंदू से मकान बनवा लो। आजकल ठेकेदार पहले अपना फायदा देखा करते हैं।"

फिर नंदू को बुलाकर पूछा, "तुम पूरा मकान बनवा सकते हो?" नंदू ने आत्मविश्वास के साथ जवाब दिया, "हां।" 40-45 दिनों तक लगातार नंदू से मकान के बारे में रोज शाम को चर्चा होती रही। चूंकि नंदू ईमानदार था, उसने शर्माजी से कहा, "मैं ठेका नहीं लूंगा, मैं लेबर पेमेंट पर आपका मकान बनाऊंगा, आप सामान अपनी पसंद का दिलाइए।" शर्माजी मान गए। नंदू ने मकान बनाना चालू कर दिया। नींव खोदने के बाद 'हाथी पांव' बनाते समय नंदू ने शर्माजी से कहा, "इसमें मैं सीमेंट ज्यादा डालूंगा।" शर्मा ने पूछा, "क्यों?" तो नंदू बोला, "नींव मजबूत होगी तो मकान मजबूत बनेगा।" समय-समय पर नंदू ने शर्माजी का पैसा भी बचाया और मकान में मजबूती का ध्यान रखता रहा। मकान बनकर तैयार हो गया। शर्माजी ने मकान के उद्घाटन की पार्टी में मोहल्ले के सभी लोगों के साथ नंदू को भी बुलाया था। खाना खाते समय नंदू ने पूछा, "भैया, मकान कैसा बना?" मैंने कहा, "मैं जब भी मकान बनवाऊंगा उसका काम तुझे

ही दूंगा। शर्माजी का मकान बहुत अच्छा बना है।"

उसके बाद नंदू लगातार मकान लेबर पेमेंट पर बनाता चला गया। जिसका मकान बनाता वह अपने दोस्तों और रिश्तेदारों के मकान के लिए नंदू को ही याद करता। नंदू ने कमाए हुए पैसों से फिजूलखर्ची बिल्कुल नहीं करी, अपने गांव छत्तीसगढ़ में खेती की जमीनें खरीद लीं। नहीं तो दूसरे नए-नए बिल्डर चार-पांच मकान बनाने के बाद ही नई कार और पार्टियों में पैसा उड़ाते कि, "हम तो अब बड़े बिल्डर बन गए।" हेल्पर का काम करते समय ही नंदू ने शादी भी कर ली। दो बच्चों को अच्छे स्कूल में डाल दिया। और रहने के लिए एक छोटा सा मकान बना लिया। मोटर साइकिल के साथ सारा गृहस्थी का सामान भी खरीद लिया था। उसके साथ के कई ठेकेदार तो भाग गए और एक ने तो ठेकेदारी बंद कर चाय का ठेला लगा लिया। जिन लोगों ने ज्यादा पैसा खर्च करके ठेकेदारों से मकान बनवाए, वो लोग उन ठेकेदारों का नाम भी लेना पसंद नहीं करते, भला-बुरा कहते हैं। लेकिन नंदू ने जिन लोगों के मकान बनाए तो वे लोग नंदू की तारीफ किया करते थे।

आज भी नंदू के पास काम की कमी नहीं है। जहां नवयुवक इंजीनियरिंग करने के बाद 70 हजार की नौकरी को तरस रहे हैं, वहां नंदू जैसा अनपढ़ अपने जैसे कई लड़कों को रोजगार दे रहा है। इसलिए कहते हैं न कि मेहनत और ईमानदारी से किया गया कार्य ही प्रचार होता है।

7.
एक छोटी सी सीख

"कक्षा आठवीं से बारहवीं तक के विद्यार्थियों के लिए एक छोटी सी सीख"

यह कहानी एक ऐसे बालक की है जो चौराहे पर खड़े होकर रास्ता चुनने की कोशिश करता है। मोंटू पढ़ने में एक एवरेज स्टूडेंट था।

पापा को छोड़कर सारे रिश्तेदार, यहां तक कि स्कूल के टीचर तक एक ही जुमला बोलकर अपना पल्ला झाड़ लिया करते थे, वह था "पढ़ाई पर ध्यान दिया करो।"

मोंटू के पापा दूरदर्शी व्यक्ति थे जो अपने बालक के लिए चिंतित थे, लेकिन मुंह से कभी नहीं बोलते और न कभी मोंटू पर हाथ उठाया था। हां, समस्या का समाधान ढूंढने की कोशिश जरूर करते रहते थे।

गुरुवार की शाम ऑफिस से आकर मोंटू को बुलाया और कहा कि रविवार को अपने को एक जगह चलना है।

मोंटू ने हां में सिर हिला दिया।

रविवार के दिन खाना खाकर मोंटू अपने पापा के साथ स्कूटर पर चल दिया। मोंटू को मालूम नहीं था कि पापा कहां ले जा रहे हैं।

चलते-चलते दोनों बड़े तालाब पहुंच गए। किनारे पहुंच कर पापा ने छोटे-छोटे कंकड़ बीनना चालू कर दिए। मोंटू देख रहा था कि पापा ये कंकड़ क्यों बीन रहे हैं।

लहरें नहीं उठने के कारण तालाब का पानी शांत था।

पापा ने मोंटू से कहा, "पत्थर की ओर ध्यान से देखना।" और एक पत्थर पानी में डाल दिया। पापा ने फिर मोंटू से पूछा, "क्या देखा?"

मोंटू बोला, "पापा, पत्थर पानी में डूब गया।"

पापा बोले, "पत्थर तो तालाब में चला गया, लेकिन और कुछ दिखा?"

मोंटू बोला, "नहीं।"

पापा ने दूसरे पत्थर को फेंकने से पहले मोंटू से बोले, "ये छोटा सा पत्थर एक बहुत बड़ा गोल घेरा बनाता है।" जैसे ही पत्थर तालाब में गिरा, गोल घेरा बनता चला गया। मोंटू ध्यान से देखता रहा, पर कुछ समझ नहीं पा रहा था कि पापा कहना क्या चाह रहे थे।

"पापा बोले, "अबकी बार बहुत ध्यान से हर पत्थर को देखना।" पापा ने चार पत्थर एक साथ फेंके, इस बार मोंटू ने देखा कि हर पत्थर ने अपना एक गोल घेरा बनाया।

पापा बोले, "एक पत्थर तुम फेंको।"

मोंटू ने वैसा ही किया, मोंटू के पत्थर ने भी एक वैसा ही गोल घेरा बनाया।

"आओ बेटा, कुछ देर यहां बैठते हैं।" दोनों सामने लगी बेंच पर बैठ गए।

"बेटा, कुछ बातें तुम्हें समझानी थीं। तुमने देखा हर पत्थर का अपना एक गोल घेरा बनता चला गया। इसका मतलब, किसी दूसरे घेरे में अपना सारा जीवन नहीं गुजार सकते हो। आपको कभी-कभी अपना पत्थर तालाब में फेंकना ही है, और उस पत्थर से बनने वाला घेरा आपका ही होगा।

अभी तुमने आठवीं क्लास पास की है, यह एक चौराहे की तरह है जिसमें से एक रास्ता तुम्हें चुनना है, जो तुम्हें कामयाब बना दे।

बेटा, दुनिया में जितने लोगों ने अपना नाम रोशन किया है वह कई वर्षों तक

लगातार मेहनत करते रहे, परिस्थितियों से लड़ते रहे।

सबसे अच्छा उदाहरण महान क्रिकेटर सचिन तेंदुलकर हैं, जिन्होंने क्रिकेटर बनने का रास्ता बचपन में ही चुन लिया था। आम की एक छोटी गुठली को पेड़ बनने में कई वर्ष लगते हैं।

टाइम पास के लिए तो दुनिया आप के साथ खड़ी है, लेकिन समय का सदुपयोग आपको करना है और मंजिल तक पहुंचने के लिए आपको अकेले सफर करना है।

फैसला अब तुम्हारे हाथ में है।"

दोनों घर आ जाते हैं। कुछ दिन बाद मोंटू का रिजल्ट आया, मोंटू सेकंड डिवीजन की जगह फर्स्ट डिवीजन में पास हुआ था। आज पापा निश्चित हो गए थे।

8.

ठुकराए हुए फूल

यह एक ऐसी लड़की की कहानी है जिनकी प्रजाति को हमारा बनावटी समाज हीन भावना से देखता है।

लॉकडाउन का समय चल रहा था। किराने की सभी दुकानें बंद थीं, कभी-कभी चोरी-छुपे कॉलोनी की दुकानें खुल जाया करती थीं।

एक दिन दोपहर में जरूरत का सामान लेने किराने की दुकान पर पहुंचा। पर्ची और झोला दुकानदार को देते हुए जल्दी सामान देने को कहा। दुकानदार ने फटाफट सामान तोलकर झोले में रख दिया। पैसे देकर मैंने झोला एक्टिवा पर आगे रख लिया, मैं जल्दी-जल्दी सामान लेकर घर की ओर चल दिया। घर पहुंचकर गाड़ी से झोला निकालने लगा। तभी पीछे से एक सोलह-सत्रह साल की लड़की दौड़ती हुई आई, जिसके एक हाथ में पन्नी बीनने वाला लंबा सा झोला था, और दूसरे हाथ में चाय पत्ती का डिब्बा।

आकर बोली, "बाबूजी, ये आपका डिब्बा रास्ते में गिर गया था।"

मैं उस लड़की को देखता ही रह गया। ऊबड़-खाबड़ रास्ता होने के कारण चायपत्ती का डिब्बा कब झोले से गिर गया, मुझे पता ही नहीं चला। चायपत्ती की जरूरत को देखते हुए मैंने उस लड़की से वह डिब्बा ले लिया। और उसे "धन्यवाद बेटा" कहकर जेब से पचास का नोट उसकी ओर बढ़ाया कि, "ये रख लो, तुम्हारा इनाम।"

लेकिन उस लड़की ने पैसे लेने से साफ इंकार कर दिया और जाते हुए कहने लगी, "बाबूजी, ये हमारी आदत में नहीं है।"

मैंने फिर उसे आवाज दी, "बेटा, तुम्हारा नाम क्या है?"

नाम कमली बताकर वह चली गई।

कमली की आदत वाली बात मेरे दिमाग में हलचल पैदा कर गई। रात भर कमली की बात दिमाग में घूमती रही। फिर नींद आ गई।

चार-पांच दिन बाद सांची पार्लर से दूध लेकर आ रहा था, तभी रास्ते में कमली पर नजर पड़ी। वही बड़ा सा झोला टांगे कमली पन्नी बीनने में व्यस्त थी।

मैंने रुककर आवाज दी, "कमली।"

उसने पलट कर देखा, "कौन मुझे नाम लेकर बुला रहा है?" क्योंकि लोग उनका नाम लेकर बुलाने के बजाय धुतकारकर घर के सामने से भगा देते हैं। फिर बोली, "बाबूजी, आपको कुछ काम था?"

मैंने कहा, "हां, कमली, हमारे घर तक चलोगी?"

वह बोली, "हां, चलूंगी बाबूजी।"

मेरे पीछे-पीछे वह घर तक आ गई, मैंने स्टोर रूम से पुराने रद्दी पेपरों और बेकार प्लास्टिक की बोतलों से भरा बोरा उसे लाकर दे दिया।

उसने बोरा खोलकर देखा और मुस्कुराई। मैं बोला, "इसे रख लो।"

तो कहने लगी, "बाबूजी, आप इसे कबाड़ी वाले को बेच देते तो आपको वह पैसे दे देता।"

मैंने उससे कहा, "तुम बेचकर पैसे रख लेना।"

कमली ने बोरे में से पेपर की रद्दी निकालकर अलग से ढेर लगाने लगी। मैंने बात शुरू करते हुए कमली से पूछा, "बेटा, तुम्हारे घर में कौन-कौन है, और तुम कहां

रहती हो?"

घर का नाम सुनकर कमली हंसने लगी और बोली, "बाबूजी, हमारा कोई घर थोड़ी होता है। हम तो पन्नी की झोपड़ी बनाकर रहते हैं, जब कोई भगा देता है तो फिर घर बदल देते हैं। मेरी दो छोटी बहनें और एक छोटा भाई है और मां-बाप हैं।"

मैंने पूछा, "तो वो लोग क्या करते हैं?"

तो वह बोली, "बहन, भाई और मां हमारे साथ पन्नी बीनती हैं। बाप को नशे की लत है।"

"अच्छा कमली, पन्नी बीनने से अच्छा अगर कोई काम मिलता है तो तुम करोगी क्या?"

कमली सोच में पड़ गई, क्योंकि बचपन से उसने यही काम किया था, जिससे उसे पचास-साठ रुपये दिन भर में मिल जाया करते थे।

फिर मैंने घर से एक कपड़ों की गठरी लाकर उसके सामने रख दी, जो अब मेरे बच्चों को कपड़े छोटे हो गए थे। मैं कमली से बोला, "कल तुम अपना काम खत्म कर अच्छे से नहा-धोकर इनमें से जो कपड़े अच्छे लगे वह पहनकर आ जाना।"

उसने पूछा, "क्या काम करना होगा बाबूजी?"

मैंने कहा, "कल बताऊंगा।"

कमली कल आने का कहकर चली गई। दूसरे दिन कमली को देखकर मैं चौंक गया कि यह कल वाली कमली ही है या कोई और।

साफ-सुथरी कमली बहुत सुंदर लग रही थी। मन में सोचा, बार्बी डॉल भी अगर कचरे के ढेर में पड़ी रहे तो सूरत बदल ही जाती है।

मैं कमली से बोला, "चने चटपटे बेचना है। चने उबालकर फिर उसे थोड़े से तेल में तलकर ऊपर से प्याज, मिर्च, हरा धनिया और चाट मसाला डालकर दोने में या कागज में रखकर देना है।" नाप के लिए एक कटोरी भी बताई।

कमली सोच रही थी, "बाबूजी को क्या जवाब दूं, चने नहीं बिके तो?"

तो मैंने कहा, "नुकसान की चिंता नहीं करना, अगर नहीं चला तो घाटा हम सहन कर लेंगे।"

कमली मान गई, और मैंने एक बांस की टोकरी पर गिफ्ट पैकिंग का कागज लपेटकर सुंदर सी टोकरी तैयार कर दी जो लाइट पड़ने पर चमकने लगती थी। फिर मैंने उससे कहा, "जैसे-जैसे यह टोकरी चमकेगी, वैसे-वैसे शायद तेरी किस्मत भी चमक जाए।"

जैसा समझाया कमली ने वैसा ही किया, फिर एक हफ्ते बाद रविवार के दिन वह घर आई और कहने लगी।

"बाबूजी, शुरू में एक-दो दिन तो हमारे परिवार ने चने की सब्जी खाई लेकिन चार दिनों में टोकरी साफ होने लगी।"

मैं भी अपने ऑफिस के काम-काज में व्यस्त हो गया, और कमली भी एकाध महीने से दिखी नहीं। शायद कुछ ज्यादा ही व्यस्त हो गई थी। सुबह पन्नी बीनती और शाम को नहा-धोकर चने बेचती थी।

एक दिन अचानक सुबह-सुबह साफ-सुथरे कपड़े और हाथ में प्रसाद का दोना लेकर आई थी।

कहने लगी, "बाबूजी, भगवान को प्रसाद चढ़ाने मंदिर गई थी। वहां से सीधे आपके घर आई।"

मैंने कहा, "अरे वाह, कमली, मंदिर भी जाने लगी।"

"हां बाबूजी, भगवान को धन्यवाद देने गई थी कि हमारे यहां दोनों टाइम खाना बनने लगा था।"

मैंने कमली से पूछा, "तुम्हारा खाना चूल्हे पर बनता है या गैस पर?"

कमली बोली, "बाबूजी, हमारे पास गैस नहीं है।"

"चलो कोई बात नहीं, एक दिन आ जाएगी। दोपहर का खाना बनने के बाद एक काम करना, चूल्हे पर कड़ाही रखकर उसमें रेत भर देना, और आलू रेत में भूनकर खाकर देखना।"

कमली ने घर जाकर आलू भूनकर देखे, खाने में स्वादिष्ट लगे। मुझे बताने लगी, "बाबूजी, बहुत अच्छे लग रहे थे।"

फिर मैंने कहा, "अब तुम यह भी भूनकर बेचकर देखो। दो किलो आलू बेचकर देखना, और हरे धनिए की चटनी जरूर डालकर देना।"

आठ दिन बाद कमली बोली, "बाबूजी, आलू भी बिकने लगे।"

धीरे-धीरे समय बीतता चला गया, कमली भी अपने ग्राहकों से रोज बातें करते-करते बात करने का सलीका सीख गई थी।

दो साल के बाद आज कमली मुझे घर पर निमंत्रण देने आई थी। उसके पट्टे की जमीन लेकर उस पर दो कमरों का मकान और सामने छोटी सी किराने की दुकान खोल ली थी, जिस पर उसकी मां बैठी करती थी। बाप भी अब साथ देने लगे थे। भाई-बहन सरकारी स्कूल में पढ़ने जाने लगे थे। अब परिवार में कोई भी पन्नी बीनने नहीं जाता था।

दूसरे दिन कमली के घर गया और देखकर दिल खुश हो गया। मैंने मन में सोचा, ठुकराए हुए फूल भी नाम रोशन करने की ताकत रखते हैं।

९.
मिट्टी का गोला/जमीन का डॉक्टर

इस कहानी में मिट्टी के गोले से तात्पर्य जैसे चाहो सुंदर मूर्ति गढ़ी जा सकती है।

रामनारायण कन्नौद में एक छोटा किराना व्यापारी था। अक्सर गांव में घर में ही आगे के कमरे और चबूतरे को मिलाकर दुकान बना ली जाती थी। और दुकान और मकान के अलावा पूंजी के नाम पर चार एकड़ की खेती की जमीन थी, जिससे परिवार का ठीक-ठाक गुजर-बसर हो जाया करता था। भगवान की कृपा से रामनारायण के दो बेटे और एक बेटी थे। बेटी का नाम मीना और बेटों का नाम सोहन और मोहन था। सोहन बड़ा था।

रामनारायण दुकान का सामान लेने महीने में दो-तीन बार इंदौर जाया करता था।

रामनारायण की पत्नी 10वीं पास समझदार महिला थी। रामनारायण 8वीं पास था। उसके गांव से बाहर रहने या खेती के काम देखने पर सरोज (पत्नी) दुकान संभाल लिया करती थी। बच्चे अभी छोटे थे। मीना पांचवीं क्लास में और सोहन और मोहन तीसरी और पहली में गांव के सरकारी स्कूल में पढ़ा करते थे। रामनारायण के पिता और सरोज के पिता कन्नौद के पास कुस्मानिया गांव में किसानी किया करते थे और आपस में अच्छे दोस्त थे।

पांचवीं के बाद गांव में स्कूल न होने के कारण रामनारायण आगे की पढ़ाई के लिए कन्नौद आया करता था। बनियों के लड़कों से दोस्ती और पढ़ाई में मन न लगने के कारण आठवीं पास होने के बाद पढ़ाई छोड़ दी और किराने की दुकान पर नौकरी

कर ली थी। शाम की बस से अपने गांव चला जाता था।

धीरे-धीरे समय बीतता चला गया, तीन साल में किराने की दुकान का अच्छा अनुभव हो गया था। रामनारायण का सेठ अच्छा आदमी था। लड़के की मेहनत देखकर उसने एक दिन रामनारायण को अपने पिताजी को बुलाकर लाने को कहा।

रामनारायण अपने पिताजी को लेकर आ गया। सेठजी उसके पिताजी को पहले से पहचानते थे क्योंकि रामनारायण अपने घर का किराना सेठ की दुकान से ही ले जाता था। कभी-कभी पिताजी भी आकर किराना ले जाते थे। रामनारायण का व्यवहार अच्छा होने के कारण उसके गांव के कुछ लोग रामनारायण से ही किराना बुलवा लिया करते थे। आस-पास छोटे-छोटे गांव होने के कारण सेठजी की दुकान अच्छी चलती थी।

सेठजी ने रामनारायण को दुकान में बिठाकर पिताजी को लेकर अंदर कमरे में चले गए। लगभग एक-आध घंटे के बाद दो बाहर आए फिर पिताजी ने सेठजी से राम-राम कहकर अपने गांव रवाना हो गए।

शाम को घर पहुंचने पर पिताजी बोले, "सेठ जी तेरे लिए भी दुकान खुलवाना चाहते हैं। उन्होंने गांव के आखिरी छोर पर एक मकान देख रखा है। मकान मालिक मकान बेचकर इंदौर चला जाना चाहता है, इसलिए 75 हजार का मकान 50 हजार में दे रहा है। सेठ जी ने बोला है अगर पच्चीस हजार तुम्हारे पास हों तो मैं आधे पैसे मिला दूंगा। और रही सामान की बात तो मैं एक महीने की उधारी पर दिलवा दूंगा।"

पिताजी ने गहने गिरवी रखकर रकम का इंतजाम कर लिया, और सेठजी ने मकान दिलवाकर दुकान खुलवा दी। दुकान का श्री गणेश पिताजी ने सेठजी से ही करवाया। सेठजी खुश हो गए, सेठजी को अपने भविष्य की चिंता इसलिए नहीं थी क्योंकि एक ही लड़का था उनका जो इंजीनियरिंग कर (बी.ई.) थे। पीथमपुर की बड़ी फैक्ट्री में नौकरी पर लगा था।

रामनारायण के व्यवहार और सेठजी के यहां नौकरी करने के कारण अच्छी पहचान हो गई थी। दुकान धीरे-धीरे चलने लगी थी।

सेठजी के यहां नौकरी करने के कारण रामनारायण को बहुत सारे अनुभव मिल गए थे, जिससे बहुत सोच-समझकर पैसे खर्च करने का अनुभव भी था। वह फिजूलखर्ची बिल्कुल नहीं करता था।

समय रहते रामनारायण ने 42 साल में दुकान के साथ चार एकड़ जमीन भी खरीद ली थी।

दुकान का सामान लेने इंदौर आए रामनारायण ने सामान ट्रांसपोर्ट पर रखवा कर सामने चाय की होटल पर जा बैठा। कुछ लोग और भी चाय पी रहे थे। सामने की बेंच पर दो पढ़े-लिखे अधेड़ उम्र के व्यक्ति, लगभग 55-60 की उम्र के रहे होंगे, चाय पीते हुए आपस में बातें कर रहे थे।

रामनारायण के कानों तक सारी बातें सुनाई दे रही थीं। उनमें से पहला व्यक्ति बोल रहा था, "यार, अगले साल मैं रिटायर हो जाऊंगा। दोनों लड़कों को पढ़ाया-लिखाया, इंजीनियरिंग करवाई, लेकिन आज कोई नौकरी नहीं मिल रही।"

दूसरा बोला, "हां यार, हमारे यहां भी यही हाल है।"

पहला बोला, "यार, कल मोची के यहां जूते पॉलिश करवा रहा था, तो मोची बोल रहा था साहब, बेटे को भी नई कॉलोनी में गुमठी डलवा दी है, जो मेरे साथ बैठकर काम सीखता था। अभी नई-नई दुकान है, छह-सात हजार रुपये महीना मिल जाता है। अब दोनों की कमाई से घर में पैसों की कमी नहीं रहती है। नहीं तो महीने के आखिर में आप जैसे साहब लोगों से घर चलाने के लिए उधार लेना पड़ता था।" फिर ठंडी आह भरकर पहला व्यक्ति बोला, "हमसे तो यह मोची समझदार निकला, अपने बालक को हुनर सिखा दिया।" "अच्छा भाई, चलते हैं।"

रामनारायण बड़े ध्यान से सारी बातें सुन रहा था। वापस घर आने के लिए बस में बैठ गया।

गांव आने तक दो घंटे के सफर में सोचता रहा, "मेरे बच्चे तो अभी छोटे हैं, और मेरे पास वक्त है, मिट्टी के गोले से मैं सुंदर मूर्ति गढ़ सकता हूं।"

रामनारायण ने दूसरे दिन से अपने स्वभाव में कुछ बदलाव किए। हर बात पर

टोकने के बजाय उन्हें उनकी बुरी आदतों के बारे में प्यार से समझाने लगा। खाने-पीने से लेकर उनकी जायज जरूरतों की पूर्ति का ध्यान रखने लगा। वैसे भी बच्चे को आज तक एक थप्पड़ भी नहीं मारा था। जैसे-जैसे बच्चे बड़े होने लगे, वैसे-वैसे समझदार भी होते जा रहे थे। हर बात पर फुर्सत के क्षणों में अपने मम्मी-पापा से चर्चा करने लगे, मिलने वाले जेब खर्च को फालतू खर्चा न करते हुए अच्छी-अच्छी किताबें गांव की लाइब्रेरी से लाकर पढ़ने लगे और अपनी पढ़ाई पर पूरा ध्यान देने लगे थे। पापा ने समाचार पत्र भी लगवा दिया, जिससे सामान्य ज्ञान भी बढ़ता रहे।

समय का पहिया अपनी रफ्तार से घूमता रहा। मीना ने बारहवीं की परीक्षा प्रथम श्रेणी में उत्तीर्ण कर गांव के कॉलेज से बी.कॉम. करने लगी, और साथ ही छोटी क्लास के बच्चों को घर पर ट्यूशन पढ़ाने लगी। साथ में दोनों भाइयों को भी पढ़ाती थी। अपने कॉलेज की फीस और अन्य जरूरतें ट्यूशन पढ़ाकर पूरी कर लेती थी।

सोहन नौवीं और मोहन ने आठवीं की परीक्षा अच्छे नंबरों से पास कर ली थी। इधर रामनारायण इंदौर आते-जाते बच्चों को ध्यान में रखते हुए नए-नए कोर्स और समय-समय पर होने वाले बदलाव की जानकारी लेना जारी रखता। मोहन को स्कूल से आने के बाद अपनी दुकान पर बिठाने लगा। दुकान की छोटी-छोटी वस्तुएं मोहन से ही उठवाने लगे। इस प्रकार मोहन की ट्रेनिंग की शुरूआत हो गई। रामनारायण देखता भी रहता था कि मोहन को इस काम में मजा आ रहा है, कि नहीं। लेकिन मोहन भी स्कूल से आकर खाना खाकर दुकान पर बिना बुलाए ही आ जाता था।

सोहन 10वीं और मोहन ने आठवीं कक्षा पास कर ली थी। रामनारायण हमेशा भविष्य में आगे आने वाले अच्छे अवसरों के बारे में सोचता रहता था। 12वीं एग्रीकल्चर से करने के बाद मोहन दुकान का काम संभालने लगा। सामान तोल कर देना और पैसे का छोटा-मोटा लेन-देन करने लगा था।

रामनारायण खेती के काम से जाने पर मोहन दुकान संभाल लेता था, और खाली समय दुकान पर बैठकर ही अपनी पढ़ाई करता रहता था।

सोहन को इंदौर के कॉलेज में बी.सी.ए. करने के लिए भेज दिया। अपने इंदौर के व्यापारी दोस्तों से मिलकर और सोहन की मर्जी पूछकर शाम को दो-तीन घंटे

मोबाइल रिपेयरिंग की दुकान पर काम सिखाने के लिए बिठवा दिया। सुबह कॉलेज जाना और अपनी पढ़ाई के अलावा शाम को समय का सदुपयोग करना सोहन को भी अच्छा लगा।

मीना ने बी.कॉम. करने के बाद बी.एड. में गांव के ही कॉलेज में दाखिला ले लिया था। मोहन के लिए अब नया काम शुरू करने के लिए रामनारायण एक दिन लाला रामस्वरूप का कैलेंडर और हाथ में पेन लेकर साल भर में आने वाले तीज-त्योहारों पर निशान लगाने लगा। छोटे-बड़े मिलाकर 15-20 त्योहार हो गए थे, जिसमें गणेशजी और नवदुर्गा के 20 दिन अलग थे।

रामनारायण ने खाली समय में त्योहारों की लिस्ट बना ली, और हर त्योहार के आगे लगने वाले छोटे-मोटे सामान भी लिख लिए, ताकि बाद में तकलीफ न हो।

होली के त्योहार से सीजनल बिजनेस की शुरूआत कर दी, रंग, पिचकारी, गुब्बारे, गुलाल आठ दिन पहले इंदौर से लाकर मोहन ने तखत पर दुकान सजा ली थी। रंगपंचमी के दिन तक कुछ पिचकारियों को छोड़कर सारा सामान बिक गया, और अच्छा मुनाफा भी हुआ। रामनारायण खुश हो गया। मोहन भी खुश था।

रामनारायण सीजनल बिजनेस का लेखा-जोखा अलग से रखने लगा। हर त्योहार पर मोहन की दुकान खुलने से रामनारायण की किराने की दुकान की बिक्री पहले से ज्यादा होने लगी थी। अब दोनों को दिन भर फुर्सत नहीं मिलती थी।

दीपावली के बाद रामनारायण और मोहन ने एक दिन सीजनल बिजनेस का हिसाब लगाया तो चौंक गए। होली पर 20 हजार की लगाई हुई रकम रोलिंग के बाद 2.50 लाख हो गई थी कि त्योहार के सामान में मुनाफा अच्छा होता है। दीपावली पर सोहन भी छुट्टियों में घर आया हुआ था। शाम को सपरिवार खाना खाने बैठे थे।

रामनारायण ने बात छेड़ी, "बेटा मोहन, सोहन, मैं सोच रहा था कि जिंदगी भर गांव में मैंने साइकिल चलाई है, अब तुम लोगों को मोटर साइकिल पर घुमवा देता हूं।" मोहन की मेहनत का इनाम देने के लिए मैं मोटर साइकिल लेने की सोच रहा था, नई वाली।

सोहन-मोहन एक-दूसरे की शक्ल देखने लगे। फिर दोनों एक साथ बोले, "हम तो नई कार लेंगे।"

रामनारायण घबरा गया। मिसेज रामनारायण का मुंह देखती रह गई। बहन भी चुपचाप सुन रही थी कि दोनों भाई क्या बोल रहे हैं, लगता है पागल हो गए हैं। कुछ देर चुप्पी छाई रही। फिर मोहन बोला, "पापा, गांव में ज्यादा आना-जाना तो नहीं रहता है, इसलिए एक सेकंड हैंड मोटर साइकिल दिलवा दो। कार तो हम पांच साल बाद नई लेंगे।"

रामनारायण और सरोज तीनों बच्चों का मुंह देखने लगे।

सोहन-मोहन बोले, "मम्मी-पापा, आप ने हमें उंगली पकड़ कर चलना सिखाया, अब हम आपको दौड़कर दिखाएंगे।"

पति-पत्नी दोनों के आंखों में खुशी के आंसू आ गए कि बच्चे कितने समझदार हो गए हैं। रामनारायण ने इंदौर के व्यापारियों को सेकंड हैंड मोटर साइकिल की बात बोली तो उन्होंने दो-चार दिन में तलाश करवाने का बोल दिया। बोले, "अच्छी गाड़ी मिलते ही हम फोन लगा देंगे।"

रामनारायण आज 25 हजार में अच्छी कंडीशन की मोटर साइकिल मोहन के साथ घर ले आया। गाड़ी की कंडीशन अच्छी लग रही थी, ज्यादा चली भी नहीं थी। किसी अफसर के यहां खड़ी थी।

दोनों भाई पढ़ाई और दुकानदारी की ट्रेनिंग में इतना व्यस्त हो गए थे कि फालतू टाइम पास और फिजूलखर्ची की आदत पड़ ही नहीं पाई थी।

दिसंबर का महीना चल रहा था। ठंड के कारण सुबह ग्राहकी नहीं थी। मोहन पापा से बोला, "मेरे दिमाग में एक आईडिया आया है।"

"हां-हां, बेटा, कैसा आईडिया है?"

"पापा, गांव में गोरानी सेठ की खाद-बीज की एक ही दुकान है जो गेहूं-सोयाबीन की बोनी के समय ही खुलती है। ज्यादातर बंद ही रखते हैं, क्योंकि 50 एकड़ जमीन

भी उनसे संभलती नहीं है। शंटू-बंटू दोनों बेटे इंदौर में पढ़ाई कर रहे हैं।"

रामनारायण बोला, "हां यार, गोरानी सेठ तो बहुत पैसे वाले काश्तकार हैं। 40 साल पहले गांव में सबसे पहले कार उन्हीं के घर आई थी। बेटी की शादी भी क्या धूमधाम से करी थी। इंदौर के कैटरिंग और डेकोरेशन वाले को ठेका दिया था। ऐसी शादी गांव वालों ने पहली बार देखी थी।"

मोहन बोला, "मैं सोच रहा था कि नगर पालिका ऑफिस के सामने जो सोलह दुकानें बन रही हैं, उनमें से एक अपन किराए पर लेकर खाद, बीज, खली, कांकडे (जानवरों के चारे) की दुकान खोलें। दुकान का किराया तीन हजार रुपये है। दुकानें नगर पालिका की हैं, इसलिए ज्यादा झंझट भी नहीं है।

नगरपालिका वाले साहब कल दुकान पर किराने का सामान लेने आए थे, बता रहे थे मार्च में दुकानें कंप्लीट हो जाएंगी। आवंटन के फार्म जनवरी में मिलेंगे, 25 हजार पगड़ी जमा करवाएंगे। चैत की नौ दुर्गा में आप दुकान खोल सकते हैं। अभी अपने पास तीन-चार महीने हैं। मैं एक-आध महीने आस-पास के गांव में घूम-घामकर सर्वे कर लेता हूं कि किसानों की जरूरत पता कर लेता हूं। क्योंकि एक साल में सीजनल बिजनेस के कारण बहुत लोग पहचानने लगे हैं। मुझे भी किसानों से खाद-बीज की नई-नई जानकारियां मिल जाएंगी।

कल के पेपर में विज्ञापन देखा तो मैंने संभाल कर रख लिया। जिला उद्योग केंद्र इंदौर ने ग्रामीण युवाओं को मिट्टी परीक्षण की एक माह की ट्रेनिंग देंगे। खाना-खर्चा रुकने की सारी व्यवस्था कीटनाशक दवाइयों की बड़ी-बड़ी कंपनी वाले उठा रहे हैं।"

मोहन ने पापा को विज्ञापन पढ़ाया। रामनारायण कहने लगा, "सुझाव तो बहुत अच्छा है, और उससे भी अच्छा जिस प्रकार तूने मुझे समझाया, वो बहुत ही अच्छा लगा। कल से ही आस-पास के गांव में दो-तीन घंटे हो आया करो। शाम को अपनी दुकान पर बैठ जाना।"

"जी पापा," कहकर मोहन घर में चला गया।

मोहन सुबह पांच बजे बिस्तर छोड़ देता था। क्योंकि रामनारायण को दुकान

आठ बजे खोलना रहती थी, तो पूरा परिवार छह बजे उठ जाता था। पत्नी झाड़ू-बुहारी में लग जाती थी फिर नहाकर परिवार के सुबह का नाश्ता दूध तैयार कर भगवान को दिया अगरबत्ती लगाती थी। सोहन-मोहन बचपन से ही सुबह दौड़ना, व्यायाम करना, और फिर नहा-धोकर स्कूल चले जाते थे। वो आदत अब उनकी दिनचर्या बन चुकी थी।

सुबह मोहन पापा से बोला, "पापा, आज मैं इंदौर जाऊंगा, मुझे दस हजार रुपये दे दो।"

पापा ने बगैर पूछे 10 हजार रुपये हाथ में रख दिए। मम्मी ने दोपहर का सोहन-मोहन का खाना बांध दिया, क्योंकि सोहन इंदौर में ही था। मोहन आज भैया के पास रात रुकने वाला था।

मोहन ने इंदौर जाकर छोटे बच्चों के खेलने लायक सस्ते-सस्ते 10 रुपये तक के खिलौने, जिसमें भौंरे, बच्चे वाला डमरू, प्लास्टिक की पुंगी, ढफली और छोटे-छोटे गुड्डे-गुड़ियां और अन्य खिलौने ले लिए। रात को दोनों भाइयों ने खाना बनाया और बातचीत करते हुए सो गए। सुबह 6 बजे की बस से मोहन कन्नौद आ गया।

सामान के सारे थैले देखकर पापा ने पूछा, "बेटा, क्या लाया है?"

मोहन ने घर में सारा सामान खोलकर पापा-मम्मी और बहन को दिखाया और बोला, "पापा, मैं रोज तीन-चार गांव घूमूंगा, और खिलौने बेचूंगा तो बच्चों के कारण उनके मां-बाप से भी पहचान हो जाएगी और बच्चों को भी खिलौने मिल जाया करेंगे।"

दूसरे दिन सुबह सभी आइटमों में से पांच-पांच पीस मोहन ने दो झोले में भरकर मोटरसाइकिल पर टांग लिए और खाने का डिब्बा और पानी पीठ पर बैग में रख लिए और निकल पड़ा। दोपहर को खुशी-खुशी लौटा, हाथ-मुंह धोकर दुकान पर आ गया, और मम्मी-पापा से बोला, "पापा, आठ-दस खिलौने छोड़कर सारे खिलौने बिक गए। गांव के किसान पहचान जाते हैं और बाकी किसानों से मिलवा देते हैं।

मैं भी किसान का नाम और उनकी जानकारी रजिस्टर में नोट करता जाता

हूं। एक गांव में लगभग डेढ़ से दो घंटे रुकता हूं। छोटे गांव में समय कम लगता है। आज पेट्रोल खर्च के अलावा 400 रुपये मिल गए। छोटी बच्चियों की मालाएं, कान के और चूड़ियां सारी बिक गईं। कल और मंगाई है, एक गांव दो दिन जाया करूंगा।"

रामनारायण मन ही मन खुश होते हुए बोला, "बेटा, जैसा तुम्हें अच्छा लगे करो।"

मोहन लगातार गांव में सर्वे करने जाता रहा। इधर रामनारायण को सोहन के इंदौर में होने से बार-बार इंदौर के चक्कर लगाने पड़ते थे, क्योंकि सोहन भी इंदौर में रहकर पापा के साथ किराने की खरीदी में हाथ बंटाता था। सारे व्यापारी रामनारायण का बेटा है, पहचानने लगे थे।

अब रामनारायण मोबाइल पर सामानों की लिस्ट सोहन को भेज देता। सोहन वहां से खरीदी कर ट्रांसपोर्ट से माल कन्नौद पहुंचा देता। पैसों की बचत के साथ रामनारायण को भी आराम मिल गया।

आज मोहन की ट्रेनिंग में दाखिले की खबर मोबाइल पर आ गई थी। उसे तीन दिन बाद एक फरवरी से जॉइन करना था। मोहन एक दिन पहले ही इंदौर पहुंच गया। हॉस्टल वगैरह, आवेदन और ट्रेनिंग के लिए आवश्यक सामग्री, कॉपी, रजिस्टर वगैरह की तैयारी कर ली। दूसरे दिन हॉस्टल में कमरा मिलने वाला था। जिले से 100 लड़के सिलेक्ट हुए थे। मोहन की 12वीं की एग्रीकल्चर से होने के कारण फायदा हो गया था। रात भैया के पास रुककर दूसरे दिन ट्रेनिंग जॉइन कर ली।

ट्रेनिंग का टाइम सुबह 8 बजे से दो बजे तक था। चार बजे तक आराम कर मोहन किराए की साइकिल लेकर इंदौर घूमने निकल जाता और कीटनाशक दवाइयों की, खाद-बीज की दुकानों पर रखे ब्रोशर व खेती संबंधित किताबें खरीद लेता। ब्रोशर फ्री में मिल जाते थे। और शाम को घर आकर उन्हें ध्यान से पढ़ता और संभाल कर रखता जाता था, क्योंकि इसमें ही भविष्य में काम आने वाली जानकारियां थीं।

ट्रेनिंग में मोहन को बड़ा मजा आ रहा था, क्योंकि मिट्टी परीक्षण के रोज प्रैक्टिकल भी होते थे। कौन सी मिट्टी में कौन से पोषक तत्वों की कमी है और कैसे दूर किया जा सकता है, यह पढ़ाया जाता था। जलवायु और मौसम की जानकारी भी दी

जाती थी, कि कौन सी फसल की पैदावार कौन सी जलवायु और मौसम में अच्छी होती है। पानी की बचत कैसे की जाती है, इसका भी पीरियड होता था।

एक माह की ट्रेनिंग के बाद परीक्षण में पास होने पर प्रमाण-पत्र दिया गया। मोहन ने पहला स्थान प्राप्त किया था, तो उसे एक शील्ड भी मिली थी। कुछ कीटनाशक कंपनियों ने कैंपस सिलेक्शन में 20 लड़के सिलेक्ट कर 15 हजार रुपये तनख्वाह पर नौकरी भी दी। मोहन ने अपने सपने को ध्यान में रखते हुए कंपनी मालिकों से बोला, "मैं बगैर नौकरी के भी आपकी सेवा करता रहूंगा।"

मार्च में वापस आकर मोहन दुकान के काम में लग गया। मार्च के आखिरी हफ्ते में मोहन को दुकान आवंटित हो गई। चैत की नौदुर्गा में अभी 15 दिन बाकी थे, 10 अप्रैल को नौदुर्गा थी। 8 अप्रैल को दुकान के उद्घाटन और पूजा की तारीख तय हुई।

फिर से मोहन ने गांव भ्रमण का कार्यक्रम बनाया। आस-पास के गांव में दुकान के उद्घाटन और पूजा का निमंत्रण देने निकल पड़ा।

बीच में दो दिन का समय निकाल कर दुकान से संबंधित खाद, बीज, खली, कांकडे और तौल कांटा बुक कर आया। 3 तारीख तक माल भेजने का कहकर कन्नौद वापस आ गया, क्योंकि आज 8 तारीख थी। पांच दिन का समय था उसके पास उद्घाटन और पूजा की तैयारी के लिए। फटाफट दुकान के सामने टेंट, कुर्सियां, ठंडे पानी की व्यवस्था गांव के ही टेंट हाउस को दे दी थी।

अल्पाहार में साबूदाने की खिचड़ी, हलवा तथा ठंडा शर्बत रखा था। 14 तारीख को दुकान में तौल कांटा फिट करवा कर सामान जमवा दिया था, क्योंकि पंडित सत्यनारायण कथा के लिए सुबह आठ बजे आने वाले थे। उस दिन कन्नौद में साप्ताहिक हाट भी था। नियत समय पर पंडित जी ने आकर पूजा प्रारम्भ कर दी। मोहन पूजा पर बैठा था। रामनारायण ने दो-तीन दिन में कन्नौद के किसानों और व्यापारियों को भी निमंत्रण दे दिया था। सोहन भी इंदौर से एक दिन के लिए आ गया था।

पूजा संपन्न होते-होते सारी कुर्सियां भर गई थीं। कुछ लोग सामने बिछी दरियों पर बैठे थे। पूजा के तुरंत बाद सोहन-मोहन स्वल्पाहार की तैयारी में जुट गए थे। रामनारायण किसानों से दुकान में रखे सामान को दिखाने में व्यस्त हो गए। दिन भर

किसानों के आने का सिलसिला चलता रहा। मोहन ने मिट्टी परीक्षण का बड़ा बैनर भी लगा दिया था। उसके बारे में लोगों को जानकारी देता रहा। रामनारायण किसानों को खली-कांकड़े बेचते रहे।

शाम तक मुहूर्त के दिन 5000 /- का सामान बिक गया था। क्योंकि बहुत से किसान जानवरों का चारा खरीदकर ले गए थे। हफ्ते भर धंधा मंदा रहा। लेकिन हाट के दिन बिक्री अच्छी हुई। मोहन को समझ में आ गया। क्योंकि रोज तो 10-12 किसान आते थे। धीरे-धीरे दुकान चलने लगी। मोहन अब सोयाबीन के बोनी के सीजन की तैयारी में जुट गया। मई के पहले हफ्ते में इंदौर जाकर सोयाबीन की फसल से संबंधित खाद, बीज और दवाइयों के आर्डर दे दिए थे।

बहुत से किसानों ने अपने-अपने खेत की मिट्टी लाकर मोहन को दे दी थी। मोहन भी ईमानदारी से मिट्टी परीक्षण कर पर्चा बनाकर देता जा रहा था। और अपने पास भी रजिस्टर मेंटेन कर रहा था। साथ ही फसलों की ज्यादा पैदावार और मिट्टी की पोषक तत्वों में आई कमी को दूर करने की जानकारी भी दे रहा था। कुछ किसानों ने तो साथ-साथ अपने खेतों की मिट्टी में सुधार करवाने का आर्डर और एडवांस भी दे दिया था।

मोहन ने मिट्टी परीक्षण की दवाइयों की खरीदी सीधे कंपनी वालों से शुरू कर दी, और किसानों को दवाई छिड़कने और खेत तैयार करने की जानकारी देना शुरू कर दिया था। क्योंकि 15 जून से बोहनी स्टार्ट होने वाली थी। बीज भी बिकना शुरू हो गए थे। मोहन ने उन्नत किस्म के ही अपनी दुकान पर रखे थे, क्योंकि दुकान की साख नहीं बिगड़ने देना था। सोयाबीन की बोहनी से एक माह पहले से मोहन का रात-दिन एक करना पड़ा, जी तोड़कर मेहनत करना पड़ी। फिर खरपतवार की दवाइयां भी खूब बेचीं। जिन किसानों ने मोहन से मिट्टी परीक्षण करवा कर सोयाबीन बोया था, उनकी पैदावार में अच्छी खासी बढ़ोतरी हुई थी।

इसलिए खरपतवार की दवाइयां भी खूब बेचीं। जिन किसानों ने मोहन से मिट्टी परीक्षण करवा कर सोयाबीन बोया था, उनकी पैदावार में अच्छी खासी बढ़ोतरी हुई थी।

इसलिए मोहन को उन्होंने नया नाम "जमीन का डॉक्टर" रख दिया।

मोहन की दुकानदारी में मम्मी-पापा का भी सहयोग रहा, क्योंकि जब वह मिट्टी परीक्षण के काम से आस-पास के गांव में जाता तो पापा उसकी दुकान और मम्मी किराने की दुकान संभाल लेती थीं। जमीन के डॉक्टर के नाम से मोहन की दुकान का प्रचार आस-पास के गांव के नए-नए किसानों तक भी पहुंचने लगा था।

क्योंकि दुकान पर बैठे-बैठे अंदाजा लगाया रोज नए-नए किसान अपने खेत की मिट्टी गेहूं के सीजन से पहले देकर जाने लगे थे, गेहूं-चना और छोटी-मोटी फसलों की बोहनी के बाद दिसंबर में मोहन और रामनारायण दोनों सीजन का हिसाब लगाया तो पता चला, मोटर साइकिल और दुकान के साल भर के किराया निकालने के बाद मोहन को पहले साल में 2 लाख का फायदा हुआ। नई दुकान में 2 लाख की पूंजी दिसंबर तक 6 लाख हो गई थी।

अगले साल मोहन ने खेती में काम आने वाले छोटे-छोटे औजार एवं दवाई छिड़कने की टंकियां भी रखने का विचार बनाया। तो रामनारायण ने खुशी-खुशी हां कर दी। आज दुकान चलाते-चलाते मोहन को लगभग चार साल हो गए थे। हर साल मुनाफा बढ़ता गया। और रामनारायण की गिनती गांव के धनना सेठों में होने लगी थी।

आज 20 नवंबर का दिन रामनारायण के परिवार और मोहन के लिए खास था। क्योंकि आज पूरा परिवार इंदौर नई कार खरीदने जा रहे थे। सोहन इंदौर में रहकर इलेक्ट्रॉनिक्स के शोरूम में नौकरी करने लगा था। उसे भी 25 हजार रुपए महीना तनख्वाह मिलती थी, और आज मोहन का जन्मदिन भी था।

कार में शोरूम पहुंचकर नई कार आई-20, 2 लाख रुपए कैश जमा कर बाकी 4 साल की किश्तों पर ले ली।

सोहन इंदौर में रहकर कार चलाना सीख चुका था, इसलिए सोहन मम्मी-पापा और बहन-भाई को इंदौर में खजराना गणेश मंदिर के अन्नपूर्णा मंदिर जाकर कार की पूजा करवाई। फिर पूरा परिवार इंदौर घूमने निकल पड़ा। कुछ शॉपिंग और बड़ी होटल में खाना खाने के बाद सब लोग सोहन के घर पर रात में रुक गए। दूसरे दिन सोहन दुकान से एक दिन की छुट्टी लेकर सुबह कन्नौद के लिए रवाना हो गए।

कन्नौद पहुंचकर घर के सामने नई चमचमाती कार देखकर आस-पास के व्यापारी और दोस्तों की भीड़ लग गई। मोहन और सोहन दोनों कार से मिठाई के बड़े-बड़े डिब्बे निकाल कर सबका मुंह मीठा करवाया।

10.
शिक्षा का स्तर

एक दिन एक दोस्त मेरे पास आया, जो एक प्राइवेट कॉलेज में नौकरी करता था, लेकिन उस दिन वह काफी परेशान सा लगा। पूछने पर कहने लगा, "क्या बताऊं यार, प्राइवेट नौकरी करना मुश्किल हो रहा है।"

मैंने कहा, "साफ-साफ बताओ तो सही, हुआ क्या?"

बोला, "यार, सौ परसेंट तू नहीं समझेगा, क्योंकि तू सरकारी नौकरी वाला है। फिर भी दोस्ती के नाते बता ही देता हूं। कहने लगा, आज मुझे कॉलेज की मालकिन ने अपने चेंबर में बुलाकर कहा कि अपने कॉलेज में इंजीनियरिंग और मेडिकल में पिछले कुछ सालों की अपेक्षा एडमिशन न के बराबर हो रहे हैं।

कुछ करो नहीं तो यह कॉलेज बंद करने पड़ेंगे।"

कुछ देर शांत रहने के बाद बोला, "स्टाफ की तनख्वाह भी आधी कर दी है। मेरी एम.बी.ए. की पढ़ाई भी कोई काम नहीं आ रही है। क्या करूं, कुछ समझ नहीं आ रहा है। अच्छी नौकरी के कारण शादी भी जल्द हो गई और तुझे तो मालूम है मेरे दो बच्चे भी स्कूल जाने लगे हैं।

शादी के बाद पिछले दस सालों से जिंदगी आराम से कट रही थी, लेकिन अचानक आधी तनख्वाह और पारिवारिक जिम्मेदारी ने मुझे झकझोर कर रख दिया है। एकमात्र सपना देखा था कि छोटा-मोटा खुद का फ्लैट लूंगा, तो किराए के मकान से छुटकारा मिल जाएगा, लेकिन शायद वह सपना अधूरा ही रह जाएगा।"

कुछ देर दोनों चुपचाप बैठे रहे। अब बोलने की बारी मेरी थी। बहुत सोचने के बाद मैंने दोस्त से कहा, "मैं एक सवाल पूछूंगा, जवाब देगा?"

दोस्त बोला, "पूछ ले यार, वैसे ही तो मैं परेशान हूं, तू भी सवाल पूछकर परेशान कर ले।"

मैंने पूछा, "कॉलेज मालकिन के कितने बच्चे हैं?"

दोस्त बोला, "एक छह साल की बच्ची है जो कि के.जी. वन में पढ़ती है।"

मैंने पूछा, "कहां पढ़ती है?"

वह बोला, "ये कैसा सवाल है? स्वाभाविक सी बात है, शहर के सबसे अच्छे स्कूल में पढ़ती है।"

मैंने पूछा, "उनके यहां खाना कौन बनाता है?"

तो दोस्त बोला, "यार, उनके यहां नौकर-चाकर हैं। खाना बनाने वाले दो कुक हैं। तूने मैडम को खाना बनाते हुए कितनी बार देखा है?"

वह बोला, "आज तक नहीं, हो सकता है शाम को बनाती हो।"

मैंने दोस्त से कहा, "अब मेरा एक सवाल तू अपनी मैडम से पूछ सकता है।"

"यार, सवाल पूछने लायक हुआ तो पूछ भी सकता हूं, क्योंकि अभी कुछ दिनों से मैडम का मूड बहुत ऑफ चल रहा है। चिड़चिड़ी सी हो गई हैं। आए दिन स्टाफ का कोई मेंबर बली का बकरा बनता है और बेचारा नौकरी से हाथ धो बैठता है। फिर भी तू सवाल तो बता ही दे।"

मैं बोला, "तेरी मैडम से पूछना, आप अपनी बेटी को कॉलेज की पढ़ाई कहां करवाओगी?"

दोस्त झल्ला सा गया, "यार, क्या फालतू सवाल पूछा! इसका जवाब तो मैं ही दिए देता हूं, यार वो अरबपति पार्टी है, कॉलेज की पढ़ाई के लिए फॉरेन ही भेजेगी।"

मैंने दोस्त से पूछा, "तुम्हारे कॉलेज में गरीब छात्रों की फीस माफ करते हैं?"

दोस्त बोला, "नहीं, हमारी मैडम के हसबैंड कहते हैं कि कॉलेज हमने समाज सेवा के लिए थोड़ी ही खोला है, हमें तो बस पैसा कमाना है।" मैंने देखा कि उन लोगों के हाथ से पैसा जल्दी नहीं छूटता है। तनख्वाह देते समय हमेशा किचकिच करते हैं। अपने शौक के लिए 100 की जगह 1000 रुपए खर्च कर देते हैं। साल में एक बार फॉरेन टूर भी करने जाते हैं और यहां आकर फॉरेन की तरक्की का बखान करते हैं, अपने रिश्तेदारों और दोस्तों में रौब जमाते हैं।

मैं बोला, "पूछना तो सही, और कल ही नहीं, जब मैडम का मूड ठीक लगे तब पूछना। लेकिन मेरी एक बात याद रखना कि तू दूसरी नौकरी के लिए कोशिश करना शुरू कर दे। क्योंकि मैडम का जवाब कुछ भी हो सकता है, शायद तेरी नौकरी भी जा सकती है।"

फिर एक हफ्ते बाद अचानक दोस्त ने मुझे फोन किया, "किया, तुझसे मिलना है।"

मैंने पूछा, "क्या हुआ?" कहने लगा, "शाम को मिलने पर ही बताऊंगा।"

मैं इसलिए निश्चिंत था क्योंकि मुझे मालूम था कि मैडम का जवाब नहीं, सवाल आएगा।

शाम को दोस्त आया तो मैंने देखा उसके चेहरे पर आज उदासी नहीं थी। बोला, "यार, सवाल में दम तो था। मैडम ने भी बहुत गंभीरता से सुना, लेकिन जवाब नहीं दिया और सवाल कर लिया कि, यह सवाल जिसने भी किया वो व्यक्ति कोई भी हो इसका वह जवाब जानता है।"

मैंने दोस्त से कहा, "कि तेरी मैडम इस सवाल का जवाब जानती थी, फिर भी उन्होंने तुझे जवाब नहीं देकर बात को टाल दिया। क्योंकि वो अपने कॉलेज की पढ़ाई का स्तर जानती हैं। शिक्षा का मंदिर कम, कॉलेज बेचने की दुकान ज्यादा लगता है।

भारत में बेरोजगारी बढ़ने का एक मात्र कारण यही शिक्षा का स्तर है। मैं एक छोटा सा उदाहरण दूंगा कि मोची ने अपने लड़के को बूट पॉलिश करना सिखाया,

मैकेनिक ने अपने लड़के को गाड़ियां सुधारना सिखाया और पढ़े-लिखे लोगों ने अपने बच्चों को इंजीनियरिंग की डिग्री दिलाई। मोची और मैकेनिक के बच्चे काम सीखते-सीखते दो पैसा कमा रहे हैं और इंजीनियरिंग की डिग्री लेकर लाखों बच्चे बेरोजगार घूम रहे हैं।

जिस दिन तेरी मैडम ने अपने कॉलेज को शिक्षा का मंदिर बना दिया उस दिन से कॉलेज में नए एडमिशन चालू हो जाएंगे। जिस दिन कॉलेज में पढ़ने वाला हर बच्चा हीरे की तरह तराशा जाएगा, शायद उस दिन तेरी मैडम अपनी बच्ची को खुद के कॉलेज से डिग्री दिलवा कर काबिल डॉक्टर बनाएगी। उनके कॉलेज से पढ़कर निकला हर बच्चा एक स्टार प्रचारक होगा। तू खुद सोच, तेरी मैडम अपनी 6 साल की बच्ची को अपने हाथ से बना खाना नहीं खिला सकती वो क्या अपने कॉलेज में बच्चों को पढ़ाएगी। लेकिन वर्तमान में वो अपना है, क्या पता हकीकत में बदले या नहीं।

आज मेरा दोस्त दूसरी जगह नौकरी कर रहा है। "डाल कमजोर होती देखकर पंछी को अपना बसेरा ढूंढ लेना चाहिए।"

11.
घर

राजदीप और शेखर दो दोस्त थे। दोनों के शहर के बड़े मार्केट में, एक का इलेक्ट्रॉनिक्स का और दूसरे का फर्नीचर का शोरूम था। बिजनेसमैन होने के कारण दोनों की खूब पटती थी।

अपने-अपने धंधे में व्यस्त रहने के कारण अक्सर मोबाइल पर बातें करते रहते थे, लेकिन महीने में एकाध बार अपनी-अपनी फैमिलीज के साथ अच्छे रेस्टोरेंट या ढाबे पर डिनर करने चले जाया करते थे। रविवार को मार्केट बंद होने के कारण, महीने-दो महीने में एक छुट्टी फैमिली के साथ बिताते थे। और बिजनेस में दोनों की जिंदगी भी मजे से कट रही थी। शहर की पॉश कॉलोनी में बंगले थे और पैसा अच्छा होने के कारण सुख-सुविधाओं में कमी नहीं थी। अच्छी-अच्छी होटलों में खाने के शौक के अलावा परिवार की नजर बचाकर दो-दो पेग का भी शौक था, क्योंकि शराब के बाद ही कबाब मजा देते थे।

दोनों के एक-एक छोटे भाई थे, जो धंधे में पार्टनर थे, लेकिन रहते अलग-अलग थे। त्योहार हो या शादी-ब्याह, पूरा परिवार इकट्ठा हो जाता था।

राजदीप के पिताजी की पहले मार्केट में किराने की दुकान हुआ करती थी। पिताजी के बुजुर्ग हो जाने पर समय के साथ दोनों भाइयों ने इलेक्ट्रॉनिक्स की दुकान खोल ली थी। चूंकि शेखर और राजदीप की दोस्ती बचपन की थी, इसलिए शेखर के पिता शासकीय अफसर होने के बावजूद शेखर का झुकाव बिजनेस की तरफ था। पंद्रह साल पहले राजदीप ने ही शेखर को मार्केट में किराए से दुकान दिलवा दी थी।

आज दोनों दुकानें शोरूमों में बदल गई हैं।

25 दिसंबर से स्कूल में हफ्ते भर की छुट्टियां थीं, और दोनों की पत्नियों ने अपने-अपने मायके जाने का प्रोग्राम बनाया था।

इसलिए दो दिन पहले राजदीप ने शेखर से कहा, "यार, क्रिसमस की छुट्टियों में हम आजाद रहेंगे।"

शेखर बोला, "फिर क्या प्लान है?"

राजदीप बोला, "संडे के दिन दो-दो पैक और डिनर करेंगे, थोड़ा घूम फिर लेंगे। अपने शहर को करीब से देखे बहुत दिन हो गए हैं। पुराने दोस्त अमन और नीरज भी आ रहे हैं, मजा आएगा। शंकर ड्राइवर को भी साथ रख लेंगे, वो इनोवा चला लेगा, हम चारों एक ही कार में मजे करेंगे।"

चारों संडे के दिन 3 बजे एक जगह इकट्ठे हो गए। फिर घूमने निकल गए। सबसे पहले अपने स्कूल पहुंचे, वहां खड़े रहकर पुरानी यादें ताजा की। उसके बाद बाहर घूमते रहे। शाम को 6 बजे तालाब के किनारे वाली श्री स्टार होटल के बार में पहुंच गए। आज सुबह अच्छी बात यह थी कि घर पहुंचने की जल्दी नहीं थी।

फिर जाम के दौर चालू हो गए। दुनियादारी की बातें चलती रहीं। राजदीप अक्सर एक पैक के बाद गंभीर (इमोशनल) हो जाया करता था। उसने पूछा, "और सुनाओ, कैसी कट रही है जिंदगी?" बाकी उसका मुंह देखने लगे।

अमन बोला, "यार, अपन सभी की जिंदगी मजे की कट रही है।"

शेखर बोला, "हां यार, अपने पास किस चीज की कमी है? गाड़ी, बंगला, घर में नौकर, सभी कुछ तो है। और क्या चाहिए जिंदगी में? बिजनेस में थोड़ा बहुत टेंशन तो आता-जाता रहता है, उसके लिए बी.पी. की दवाई तो है ना? फिर काहे की चिंता!"

राजदीप ठंडी आह भरकर बोला, "यार, मैं तुम लोगों को कल का वाकया सुनाता हूं। मैं कल रात दुकान से लौटकर पोर्च में कार खड़ी कर रहा था। तभी पड़ोस वाली जायसवाल आंटी लड़खड़ाती हुई गेट पर आकर मुझे आवाज दी।"

शेखर बीच में बोला, "यह जायसवाल आंटी वही है न, जिनके दोनों बेटे फॉरेन में हैं और बेटी की शादी बैंगलोर में हुई है?"

राजदीप बोला, "हां-हां, वही।"

शेखर बोला, "तू बताया करता था कि तेरे मम्मी-पापा उनका उदाहरण देकर तुझे ताने दिया करते थे। 'देखो जायसवाल साहब के बच्चे कितने अच्छे निकले, पढ़-लिखकर फॉरेन में नौकरी कर रहे हैं।' और उनके मम्मी-पापा भी अपने बेटों का बखान सारी कॉलोनी में घूम-घूमकर किया करते थे, यहां तक दूध वाले से लेकर रात घूमने वाले चौकीदार तक को नहीं छोड़ा।"

"यार, आगे तो सुनो। उन्होंने मुझे डॉक्टर का पर्चा थमाते हुए कहा, 'बेटा, तुम्हारे अंकल को अचानक घबराहट हो रही है। डॉ. सिंह को फोन लगाकर पूछा तो उन्होंने ये टैबलेट बोली हैं। आज चंदू नौकर (जो सर्वेंट क्वार्टर में रहता है) गांव चला गया दो दिन के लिए, और लक्ष्मी भी खाना बनाकर चली गई।'

मैंने 'हां-हां, मैं ला देता हूं' कहा। पास ही चौराहे पर मेडिकल शॉप थी, मैं पैदल ही चल दिया। दवाई लाकर आंटी को दी और मैं कपड़े वगैरह बदलकर बेडरूम में आकर लेट गया।

सोचने लगा, क्या कमी है ये जायसवाल अंकल-आंटी को? इफरात पैसा है। लेकिन रोज शाम को दुकान से आते समय देखता हूं दोनों पूरे बंगले की लाइट बंद कर ऊपर की बालकनी में बैठे-बैठे रोड निहारते रहते हैं। ऐसा लगता है कि बंगले की चौकीदारी कर रहे हों। जब अंकल सरकारी अफसर और आंटी कॉलेज में प्रोफेसर थीं, तब यह स्टेटस मेंटेन के चक्कर में किसी रिश्तेदार के यहां नहीं गए। अब रिश्तेदार इनके यहां नहीं झांकते।

दो साल में बेटे एक महीने की छुट्टी लेकर आते और बेटी जरूर साल में एक-दो बार आ जाती है, क्योंकि उसकी ससुराल भी भोपाल की ही है। बस इन्हीं दिनों बंगले में रौनक, चहल-पहल हुआ करती है। बाकी दिन वीराना सा लगता है।

आज सुबह अंकल-आंटी कॉलोनी के पार्क में मिले तो मैंने पूछा, 'कल क्या

हो गया था अंकल?'

अंकल खिलखिलाकर हंसते हुए बोले, 'यार, 50-55 का मॉडल हूं, कुछ न कुछ चलता ही रहता है।' दोनों के चेहरे पर हंसी और आंखों में उदासी अलग ही झलकती है।"

शेखर बीच में बोला, "हां यार, हमारी कॉलोनी में कई बंगलों में यही हालत है। 40-50% अक्सर आया करती है।"

अमन बोला, "हां यार, अधिकांश पॉश कॉलोनी में बंगलों की यही हालत है। अक्सर बुज़ुर्ग दंपति रहते हैं, या नौकर और उसका परिवार चौकीदारी करता है।"

राजदीप बोला, "यार, मकान और घर में अंतर मालूम है?"

अमन और नीरज तो क्या, हम लोग रोड पर रह रहे हैं। आखिरकार हम घर में ही तो रहते हैं। फिर शेखर बोला, "यार, सुना है घर तो साठ-सत्तर साल पहले हुआ करते थे। हम लोग तो मकान, बंगले, कोठी, फ्लैटों में रहते हैं। घर तो प्रायः विलुप्त से हो गए हैं। मैंने भी जब से होश संभाला है, जब से चिड़ियाघर ही देखा है, जहां सारे जानवर एक साथ रहते हैं। हां, घर के चर्चे जरूर सुनता रहता हूं। हमारे यहां रमेश जो पास के गांव में रहता है, हमारे कारपेंटरी का काम करता है, वह अक्सर अपने घर की चर्चा किया करता है।

कई साल पहले जब नए एंड्राइड मोबाइल आए थे, तो मैंने उससे कहा, 'राजदीप की दुकान से मोबाइल दिलवा देता हूं।' तो जेब से छोटा सा मोबाइल दिखाकर बोला, 'यह भी तो आपने ही दिलवाया था, आज तक चल रहा है। वैसे, 10 साल पहले मैं एक बीमारी घर में ले जा चुका हूं।'

मैंने पूछा, "कौनसी?" तो कहने लगा, "सेकंड हैंड कलर टीवी दिलवा दी थी। पहले हमारे यहां टी.वी. नहीं था, तो मिसेज मेरे घर पहुंचने पर पानी का गिलास लेकर आती थी, आजकल मैं मटके के रोज दर्शन करता हूं। और अगर मोबाइल ले लिया, शाम की गरम रोटियां भी मुझे ही सेंकनी पड़ेगी।" और हंसने लगा। मुझे भी हंसी आ गई।"

शेखर की बातें सुनकर सभी लोगों ने अपने परिवार की स्थिति बताई, जो एक जैसी थी।

अमन कहने लगा, "हमारे घर में छह मेंबर हैं, सभी के पास एंड्राइड मोबाइल है। शाम को घर पहुंचने पर मिसेज यूट्यूब या फेसबुक पर और बच्चे वीडियो गेम पर व्यस्त रहते हैं। किसी के पास फुर्सत नहीं रहती है। यहां तक हमारा डांगी, जो सोया रहता है, मेरे घर पहुंचने पर तिरछी आंखों से देखकर फिर आंखें बंद कर लेता है। सोचता होगा कि आ गया फोकट पत्थर, पूरे परिवार के साथ मेरी भी नींद डिस्टर्ब करेगा। घर का खाना तो इसको बिल्कुल अच्छा नहीं लगता। कभी दाल में नमक ज्यादा, सब्जी में मिर्ची कम, रोटी जली हुई, कहकर बड़बड़ चालू कर देगा। जबकि आंटी बहुत स्वादिष्ट खाना बनाती है। गुस्सा तो ऐसी आती है कि बोल दूं 'होटल में ही खा लिया कर, और चुपचाप घर आकर सो जाया कर।'

सही में इस मोबाइल ने तो पूरी दुनिया को पोस्टमैन की नौकरी दे दी है। सुबह मुर्ग की बांग से पहले गुड मॉर्निंग के मैसेज और अन्य फालतू मैसेज इधर से उधर भेजते हुए अपनी बगैर पैसे की नौकरी पूरी ईमानदारी से करते हैं। साले कई दोस्त तो लिखते हैं, 'यार, जिंदा हो तो साल-दो साल में एकाध मैसेज डालकर जिंदा होने का प्रमाण दे दिया करो।' रमेश की बात में दम तो है, कह रहा था, 'आज मोबाइल दिला दोगे और कल से चिल्लाना शुरू कर दोगे, साले, काम किया करो, दिन भर मोबाइल में घुसे रहते हो।' हमारे बच्चे भी आजकल राम-रावण की जगह 'कडप्पा ने बाहुबली को क्यों मारा' पूछते फिरते हैं। डोरेमोन आजकल बच्चों का माई-बाप है।"

खाना लग गया था। बटर चिकन की प्लेट उठाते हुए शेखर बोला, "यार, एक दिन रमेश के घर से चूल्हे पर बना हुआ चिकन लाया था, याद है राजदीप, अपन लोगों ने शाम को मेरे घर पर बैठकर खाया था।"

राजदीप बोला, "यार, एकाध दिन फिर खिलवा दे।"

शेखर बोला, "अरे, वो तो बहुत दिन से गांव चलने का बोल रहा है। गांव में हमारा घर भी देख लेना और चूल्हे की गरम रोटी और चिकन बनवा लूंगा। चलो जनवरी में अच्छी ठंड पड़ेगी तो संडे को चलते हैं।" चारों ने एक साथ हां कर दी।

दो दिन पहले रमेश को बता देंगे कि हम संडे को आ रहे हैं। रमेश बहुत खुश हो गया। जैसे ही उसे बताया, "हम चारों संडे को 2 बजे तक तेरे घर पहुंच जाएंगे," और 2000 /- रुपये उसके हाथ में रख दिए।

कहने लगा, "सेठजी, ये मैं नहीं लूंगा।"

मैंने कहा कि, "तो फिर हम लोग नहीं आएंगे।" तो मान गया। बोला, "गांव पहुंचकर आप फोन लगा लेना तो मैं वहां पहुंच जाऊंगा, फिर आप को घर ले चलूंगा।"

गांव पहुंचते ही रमेश हमें मिल गया और हम घर की तरफ चल दिए। कार रमेश के घर के सामने मैदान में पार्क कर दी थी। घर पहुंचकर रमेश ने अपने परिवार से मिलवाया। रमेश की मां, बाबूजी और बड़े भाई बहुत खुश हुए। रमेश की मिसेज ट्रे में पानी लेकर आई। दोनों भाइयों की मिसेज गांव की रहने वाली थीं। रमेश के पिताजी बोले, "सेठ लोग हमारे यहां पहली बार आए, बढ़िया अदरक वाली चाय से इनका स्वागत करो।"

हम लोगों के लिए दो खटियां बिछा दी गईं। रमेश का लड़का और बड़े भाई की लड़की दोनों दादा-दादी के पास खेल रहे थे। रमेश के पिताजी बोले, "गेहूं में पानी चल रहा था, इसलिए राजेश और मैं रात भर खेत पर ही थे। हमारी चार एकड़ की जमीन है। परिवार का गुजारा मजे से हो जाता है। सामने घर की छोटी सी दुकान दिखाते हुए राजेश और उसकी लाड़ी ये किराने की दुकान चलाते हैं, इससे भी थोड़ी बहुत आमदनी हो जाती है।" गांव के मकान जैसा खपरैल वाला मकान था। "दोनों बेटे के दो कमरे और हमारा एक कमरा और यह कोने में रसोई है, जहां पूरे परिवार का खाना एक चूल्हे पर ही बनता है।"

हम लोग रमेश का घर देखकर दंग रह गए, साफ-सुथरा, लिपा-पुता हुआ छोटा सा घर बहुत सुंदर लग रहा था। एकाध घंटा घर बैठकर चाय-वाय पीकर हम लोग रमेश के साथ उसके खेत देखने आ गए। रमेश से पूछने पर कि, "रमेश, खाना कितनी देर में बन जाएगा?" रमेश बोला, "सेठजी, चूल्हे पर दो घंटे में तैयार हो जाएगा।"

हम लोगों ने खेत में बैठकर ककड़ी, मूली और गाजर के सलाद के साथ दो-दो पेग पिए। फिर रमेश के घर पहुंच गए, खाना तैयार था। सिलबट्टे पर पिसे मसाले की

खुशबू भूख बढ़ा रही थी। देसी खाना देसी स्टाइल में ही खाना, इसलिए सामने बिछी चटाइयों पर बैठ गए। रमेश बोला, "भैया, आप और बाबूजी सेठजी लोगों के साथ बैठ जाओ, मैं खाना परोस दूंगा। नहीं तो सेठ लोग खाने में शरमाएंगे।" सभी हंसने लगे।

थाली परोसी गई, साथ ताजा कटा सलाद और नींबू भी था। गरम-गरम चूल्हे पर सेंकी मोटी-मोटी रोटियां खाने में मजा आ रहा था।

शेखर बोला, "यार, आज चिकन तो बहुत स्वादिष्ट बना है।"

रमेश बोला, "आपने दो दिन पहले मुझे अपना कार्यक्रम बताया तो पिताजी हाट से दो मिट्टी की हांडी ले आए थे। आज ये सब्जी उसी में बनी है।"

चारों खाना खाकर हाथ धोते समय कहने लगे, "यार, खाना इतना स्वादिष्ट भी बनता है! मजा आ गया, कुछ ज्यादा ही खा लिया।"

रमेश की अम्मा सबके लिए पान लगाकर ले आईं। शाम के चार बज गए थे, समय का पता ही नहीं चला। हम चारों ने खुश होकर दो बच्चों के हाथ में हजार-हजार रुपये रख दिए। उनके पिताजी मना करते रहे तो हम लोग बोले, "बच्चों को छोटी साइकिल दिला देना।" पूरा परिवार हमें कार तक छोड़ने आया।

हम लोग अपने घर की ओर रवाना हो गए। रास्ते में राजदीप कुछ ज्यादा ही भावुक होकर रोने लगा, कहने लगा, "घर तो इसे कहते हैं। हमारे आलीशान मकान इस घर के आगे कुछ भी नहीं है।"

शेखर बोला, "हां यार, फूलों का गुच्छा ही गुलदस्ता कहलाता है।"

12.

इश्तेहार

(विज्ञापन)

यह कहानी काल्पनिक है, परन्तु भविष्य में वास्तविक जीवन से संबंध हो सकता है।

"वर चाहिए"

सुंदर, सुशील, गृह कार्य में दक्ष वर चाहिए। होटल मैनेजमेंट कोर्स किए को प्राथमिकता।

प्रदेश के सबसे ज्यादा प्रकाशित होने वाले समाचार पत्र में यह इश्तेहार हफ्ते भर प्रकाशित हुआ। वैसे तो ज्यादा बिकने वाले अखबारों में विज्ञापनों की भरमार रहती है। मोची से लेकर इंजीनियर तक इश्तेहार देकर ही ढूंढ़े जाते हैं। खेती की ज़मीन से लेकर दुकान, मकान भी विज्ञापन के माध्यम से ही खरीदे-बेचे जाते थे। आजकल तो हर छुटभैया नेता को जन्मदिन का बधाई संदेश भी समाचार पत्रों में आधे या पूरे पन्ने को घेर लेता है। जैसे: "श्री सखाराम कुरकुरे उर्फ (कल्लू भैया) को जन्मदिन की हार्दिक बधाई। नीचे 40-50 फोटो मोहल्ले के बेरोज़गार युवाओं के और गणमान्य बड़े नेताओं के जिनकी छत्र-छाया में रहकर कल्लू भैया ने यह उपलब्धि हासिल की है। इस कारण आम जनता ने समय के अभाव के कारण विज्ञापन का पेज देखना ही छोड़ दिया है, सिवाय ज़रूरतमंद बेरोज़गार (शिक्षित) युवाओं के। यह एक ऐसे युवक की काल्पनिक कहानी है।

आशाराम वानखेड़े एक बेरोज़गार युवक था, जिसकी स्कूली शिक्षा खण्डवा के पास पंधाना गांव में संपन्न हुई थी। आगे होटल मैनेजमेंट की पढ़ाई भोपाल में रहकर दो साल पहले संपन्न हो चुकी थी। उसके पिताजी सरकारी बाबू थे, खण्डवा राजस्व विभाग में। तीन भाइयों में सबसे छोटा आशाराम ही था। दोनों बड़े भाई मध्य प्रदेश से बाहर प्राइवेट कंपनियों में अच्छी जॉब कर रहे थे। पिताजी ने खण्डवा में ही एक मकान बनवा लिया था। आशाराम भोपाल से वापस लौटकर खण्डवा में रहकर जॉब के लिए गूगल पर समाचार में छपे विज्ञापन के माध्यम से आवेदन दिया करता था। लेकिन हर जगह तो वेकेंसी का कार्य-अनुभव माँगा जाता था। आज की भागदौड़ की दुनिया में अनपढ़ होने से ज्यादा पढ़ लिखकर बेरोज़गार होना ज्यादा बुरा माना जाता है, क्योंकि समाज, रिश्तेदार यहाँ तक कि अपने परिवार के सदस्य भी ताने मारा करते थे। "नौकरी कब करोगे?" या "कहीं लगी क्या?" "छोटी-मोटी ही कर लो।" "कब तक यूँ ही घर पर पड़े रहोगे।"

ताने आशाराम को चुभते तो थे, लेकिन बेचारा करता भी तो क्या? रोज़-रोज़ के तानों ने आशाराम को एक फायदा ज़रूर करवा दिया, वह अपने घर पर ही तरह-तरह के व्यंजनों को बनाकर प्रैक्टिस करने लगा, ताकि की गई पढ़ाई को भूले नहीं। आशाराम खाना दिल से बनाया करता था। इस कारण धीरे-धीरे मम्मी-पापा यहाँ तक कि दोनों बड़े भाई अपने परिवार के साथ छुट्टियों में आते तो आशाराम के बनाए खाने की तारीफ करते नहीं थकते। अचानक आज दोपहर में समाचार पत्र के इस अनोखे विज्ञापन पर आशाराम की नज़र पड़ी। उसने विज्ञापन को कई बार पढ़ा फिर पेन से उस पर घेरा बना लिया।

दो-तीन दिनों में आशाराम ने इश्तेहार को कई बार पढ़ा। पता इंदौर का था और मोबाइल नंबर भी दिया था। आशाराम रात में बिस्तर पर लेटे-लेटे सोच रहा था, "यार, भगवान ने शायद मेरे लिए भी कुछ अच्छा ही सोचा होगा। इसलिए पढ़ लिख कर यहाँ तक ले आया, नहीं तो अनपढ़ ही छोड़ देता।" आशाराम ने शाम को कॉलोनी के पार्क में बैठकर फोन लगाया। फोन लड़की के पापा ने उठाया। उन्होंने नाम व कहाँ के रहने वाले हो पूछकर, दो-चार सवाल और किए, फिर रविवार को इंदौर आकर मिलने को कहा।

रविवार को 11 बजे पहुँचकर दिए गए पते की कॉल-बेल बजाई। लड़की की मम्मी ने दरवाज़ा खोला। नाम बताने पर अन्दर ड्रॉइंग रूम में बैठने को कहकर अन्दर चली गई। ड्रॉइंग रूम की सजावट देखकर परिवार संपन्न लग रहा था।

थोड़ी देर में लड़की के मम्मी-पापा दोनों साथ में ड्रॉइंग रूम में आए। मम्मी के हाथ में ट्रे में पानी का गिलास था, जो मेरे लिए लाई थी। मेरे और मेरे परिवार के बारे में जानकारी लेकर लड़की के पापा ने बताया, "हमारी बेटी और एक बेटा आयुष है। बेटी बड़ी है, जो चेन्नई में मल्टीनेशनल कंपनी में सर्विस करती है। 12-13 लाख सालाना का पैकेज है। रिश्ते तो बहुत आ रहे थे, लेकिन लड़के कहीं और जॉब कर रहे थे। तनख्वाह भी 15-20 हज़ार रुपये महीना से ज्यादा नहीं थी, इसलिए हमें यह इश्तेहार देना पड़ा। इश्तेहार देने के बाद छह-सात रिश्ते आए भी थे, लेकिन हमने अभी जवाब नहीं दिया।"

"मैं चाय बनाकर लाती हूँ," कहकर लड़की की मम्मी उठने लगी। तभी आशाराम बोला, "आंटी जी, आप लोगों को ऐतराज न हो तो एक बात कहूँ?" और जवाब का इंतजार न करते हुए बोला, "कि मैं यहाँ इंटरव्यू देने आया हूँ, चाहे शिक्षा हो या न हो। इसलिए चाय और दोपहर का खाना मैं बनाता हूँ।" दोनों आशाराम की मुँह की ओर देखने लगे कि ये लड़का क्या बोल रहा है। पहले तो दोनों ने साफ इनकार कर दिया कि, "नहीं, पहली बार आए हो," लेकिन मेरे इंटरव्यू की शर्त को देखते हुए आंटी कहने लगी, "चावल तो मैंने कुकर में रख दिए हैं और आटा गूंधा रखा है।"

आशाराम ने फटाफट तीन कप चाय बनाई। तीनों ने बैठकर चाय पी। चाय पीते-पीते पापा ने कहा, "चाय का भगोना खाली हो गया क्या?" आशाराम ने हाँ कहने पर पापा थोड़ी और चाय लाने को कहकर चुप हो गए।

आंटी भी आशाराम के साथ किचन में आ गई। ज़रूरत की चीज़ें फ्रिज खोलकर दिखाई और हाथ बँटाने लगी। एक घंटे में खाना तैयार हो गया। आशाराम ने दाल, चावल, सब्जी, रोटी, सलाद और हरी चटनी लाकर डाइनिंग टेबल पर सजा दी। खाने की खुशबू के कारण दो-तीन बार अंकल भी किचन का राउंड लगा गए थे।

आंटी ने तीनों प्लेटों में खाना सर्व कर दिया। खाते समय अंकल-आंटी ने

आशाराम की तरफ न देखा और न ही कोई बातचीत की। फिर एल्बम में बेटी का फोटो दिखाया। थोड़ी देर और बैठकर आशाराम ने वापस खण्डवा जाने की इजाज़त ली। दोनों गेट तक छोड़ने आए, फिर अंकल कहने लगे, "हमारी बेटी वीणा तीन-चार दिन की छुट्टी लेकर अगले हफ्ते इंदौर आएगी। यदि तुम्हारी इच्छा हो तो हम फोन करेंगे। एक दिन समय निकाल कर बेटी से मिल लेना।" शाम को घर पहुँचने पर मेरे मम्मी-पापा ने सोचा, बेरोज़गार बेटा दिन भर कहाँ रहा? मालूम तो था कहाँ जाएगा, शाम को घूम फिर कर घर आएगा।

फिर मम्मी ने पूछ लिया तो आशाराम ने छोटा सा जवाब दिया, "इंटरव्यू देने इंदौर गया था।"

शनिवार को सुबह-सुबह फोन की घंटी बजी। वीणा के पापा का ही फोन था। कहने लगे, "हमारी बेटी कल इंदौर आ गई है। तुम चाहो तो कल इंदौर आ सकते हो।" फोटो में तो वीणा सुंदर लग रही थी, इसलिए दूसरे दिन मिलने इंदौर जा पहुँचा। इस बार अंकल-आंटी ने स्वागत में गर्मजोशी दिखाई। कुछ देर साथ बैठकर अंकल-आंटी अन्दर चले गए।

वीणा और आशाराम दोनों कुछ देर चुपचाप बैठे रहे। फिर वीणा बोली, "मम्मी-पापा ने मुझे सारी बातें बता दी हैं। आप मुझसे शादी क्यों करना चाहते हैं?" आशाराम ने छोटा और सुंदर सा जवाब दिया, "इश्तेहार को सार्थक बनाने के लिए।" बातों-बातों में टाइम का पता ही नहीं चला। आंटी हॉल में आकर बोली, "बेटा, खाना तैयार हो गया है, दाल में छोंक लगाना बाकी है।" आशाराम तुरंत बोला, "शायद आज फिर इंटरव्यू देना पड़ेगा," कहकर किचन की ओर बढ़ गया। सभी हँसने लगे।

चारों ने साथ बैठकर खाना खाया। आशाराम और वीणा बातों-बातों में मन ही मन शादी के लिए राज़ी थे। फिर गेट पर तीनों छोड़ने गए। अंकल और आंटी कहने लगे, "हम लोग परसों आपके मम्मी-पापा से मिलने आने वाले हैं। तुम्हारा पता दे दो और यह वीणा का बायोडाटा रख लो।"

आशाराम बस में सोच रहा था कि अभी तो घर वालों को बताया ही नहीं, पता नहीं क्या होगा। आशाराम ने घर आकर अपने मम्मी-पापा को यह बातें बताईं। थोड़ा

ना-नुकुर के बाद वो लोग राजी हो गए। शायद इसकी किस्मत में यही लिखा है। दूसरे दिन सुबह जल्दी उठकर मम्मी घर व्यवस्थित करने लगीं तो आशाराम ने उनका हाथ बँटाया। पापा बाज़ार से आवश्यक किराना व सब्जी एवं फल-फ्रूट ले आए।

मम्मी जल्दी-जल्दी ज्योतिषी जी से दोनों की पत्रिकाएँ मिलवाने चली गई कि यह समझौता है या शादी। ज्योतिषी जी ने 26 गुण मिलने का बताया। आशाराम की तरक्की की बात बताई। मम्मी बहुत खुश हो गई। आज सुबह आठ बजे वीणा का फोन आया कि हम लोग घर से निकल गए हैं, लगभग दो घंटे में खण्डवा पहुँच जाएँगे। इधर फोन सुनकर आशाराम फाइनल इंटरव्यू की तैयारी करने लगा।

खाने में लौकी पर चाँदी का वर्क लगा हलवा, साउथ इंडियन डोसा सांभर, फ्रूट सलाद आदि की तैयारी करने लगा। मम्मी भी उसके कार्यों में हाथ बँटाने लगीं। 11 बजे गेट पर कार आकर रूकी। ड्राइवर को छोड़कर तीन लोग अन्दर आ गए। मम्मी-पापा को तीनों ने नमस्कार किया और सोफे पर बैठ गए। मम्मी तो वीणा की सुंदरता को देखकर दंग रह गई। सांवली होने के बावजूद नैन-नक्श सुंदर थे। दोनों परिवार पढ़े लिखे होने के कारण हल्की-फुल्की बातें चल रही थी। वीणा की निगाहें मम्मी भांप गई। कहने लगी, "आशाराम अन्दर किचन में है, चली जाओ।" वीणा फ़ौरन दौड़कर किचन में पहुँच गई। "क्या बना रहे हो? खुशबू बाहर गेट तक आ रही है।" वीणा भी खाना डाइनिंग टेबल पर रखने में आशाराम की मदद करने लगी। ड्राइवर की प्लेट और पानी वीणा कार में ही दे आई थी। सभी लोगों ने खाना शुरू कर दिया और बातें भी करते जा रहे थे। सभी लोगों ने लौकी का हलवा और सांभर दो-दो बार लिया था।

आशाराम और वीणा की रजामंदी के बाद शादी की तारीख निकालने की बात चल निकली। आशाराम की मम्मी ने पंडित से पूछकर आने की बात कहकर वीणा की मम्मी को ज्योतिषी के पास चलने को कहा। दोनों कार से ज्योतिषी के पास चली गईं। इधर वीणा और आशाराम बालकनी में आकर बैठ गए। वीणा ने कहा, "शादी के बाद आपको चेन्नई चलना पड़ेगा।" आशाराम ने हाँ भर दी। बालकनी में बैठे वीणा और आशाराम ने दोनों की मम्मियों को खुशी-खुशी कार से उतरकर अन्दर आते देखा। वीणा की मम्मी ने बात शुरू की, "ज्योतिषी जी ने अगले महीने की 20 तारीख का मुहूर्त बताया है।" दोनों परिवार राजी हो गए। आशाराम की मम्मी ने शगुन के 1001/-

वीणा के हाथ में रख दिए। वीणा दोनों मम्मी-पापा के पैर छूकर आशीर्वाद लिया। फिर रात में इंदौर वापस आ गए। दोनों परिवार शादी की तैयारियों में जुट गए। वीणा वापस चेन्नई आ गई। शादी के लिए अगले महीने की 15 तारीख से एक माह की छुट्टी का आवेदन दे दिया। ऑफिस से शाम को घर पहुँच कर वीणा अपनी पार्टनर के साथ खाने की तैयारी में लग गई। खाना खाकर बिस्तर पर लेटे-लेटे टीवी देखते हुए वीणा आशाराम के बारे में सोचने लगी। वैसे तो आशाराम सर्वगुण संपन्न लगा, लेकिन नाम के कारण थोड़ा परेशान थी, क्योंकि नाम पुराने ज़माने का लग रहा था। दूसरे दिन शनिवार था, दो दिन की छुट्टी थी। घरेलू कामों की उसने लिस्ट बनाई जो दो दिनों में उसे निपटाने थे, क्योंकि शादी के बाद रूम खाली करना था। उस कैंपस में हर प्रकार के फ़्लैट थे। बड़े से बड़ा और छोटे से छोटा फ़्लैट आसानी से मिल जाता था। वीणा को कब नींद आ गई, पता ही नहीं चला।

दूसरे दिन सुबह आशाराम के दो मिस कॉल देखकर तुरंत फोन लगाया। दूसरी तरफ से आवाज़ आई, "सो रही थी क्या? ठीक-ठाक पहुँच गई?" वीणा बोली, "हाँ, आज छुट्टी थी इसलिए थोड़ा आराम से उठी। हाँ, फ़्लाइट सही टाइम पर आ गई थी।" "अरे यार, मैं तो कभी हवाईजहाज़ में बैठना तो दूर, कभी पास से देखा भी नहीं आज तक।" वीणा खिलखिलाकर हँसने लगी, "फिर शादी के बाद तुम्हें भी हवाईजहाज़ में घुमाऊँगी, चिंता मत करो।" हल्की-फुल्की बातचीत के बाद आशाराम ने फोन काट दिया।

वीणा ने लिस्ट के अनुसार किराये के मकान के लिए ब्रोकर को फोन लगाया। ब्रोकर बोला, "मैडम, मकान मिल जाएगा, चाहो तो आप आज दोपहर में देख लेना।" वीणा बोली, "दो बजे के बाद आप आ जाना।"

वीणा ने अपनी पार्टनर से पूछा, "आज से मेरी नई गृहस्थी सजाने में मदद करोगी क्या?" उसने खुशी-खुशी हाँ कर दी। फिर दोनों ने नहा-धोकर नाश्ता किया। वीणा बोली, "लंच अपन होटल में कर लेंगे।" दोनों निकल गईं।

सबसे पहले चेन्नई के मॉल में फर्नीचर के शोरूम में पहुँच गई। दो-तीन मॉल घूम-घूम कर फर्नीचर और इंटीरियर डेकोरेशन के सामान देखकर लिस्ट बना ली। किचन का सामान साथ-साथ देखकर नोट कर लिया। फिर अच्छे से रेस्टोरेंट में खाना

खाकर घर के लिए चलने लगी। तभी ब्रोकर का फोन आ गया। 15 मिनट में घर पहुँचने का कहकर टैक्सी में बैठ गई। ब्रोकर भी आ चुका था। ब्रोकर से वीणा बोली, "हमें दो बेडरूम वाला फ्लैट ही दिखाना।" ब्रोकर बोला, "ठीक है मैडम।" दोनों ब्रोकर के साथ चल दीं। क्योंकि फ्लैट कैंपस में ही था, इसलिए पैदल ही चलना था। यहाँ रहने वाले अक्सर कंपनियों में काम करने वाले ही रहते थे। कुछ फैमिली को छोड़कर अधिकांश बैचलर ही थे और बहुत से फ्लैट खाली पड़े थे। ब्रोकर ने 10-15 फ्लैट दिखाए। वीणा को पार्क-फेसिंग का फ्लैट पसंद आ गया। उसने कहीं पढ़ा था, वास्तु के हिसाब से ईस्ट फेसिंग फ्लैट अच्छा होता है। फिर वापस घर आकर चाय पीते हुए ब्रोकर को एडवांस दे दिया। ब्रोकर ने चलते समय कहा कि वह मकान मालिक के साथ परसों आकर आपको मकान की चाबी दे देगा।

संडे के दिन फिर दोनों सहेलियाँ मॉल में पहुँच गई। क्योंकि वीणा ने फ्लैट की मोबाइल पर वीडियो बना ली थी, इसलिए सारा सामान फटाफट बुक कर दिया। अगले शुक्रवार तक डिलीवरी देने की बात कर एडवांस भी देती चली गई। फिर शोरूम के मैनेजर से सामान फ्लैट में जमवाने तक की बात कर ली। मैनेजर बोला, "आप चिंता मत कीजिए। हमारे आदमी सामान के साथ आएँगे। जैसा आप चाहेंगी, वैसा आप बता देना उन्हें।" फोन से खाने का ऑर्डर देकर दोनों बातचीत करने लगीं। वीणा अपनी पार्टनर से बोली, "यार, एक नेम प्लेट भी बनवानी है।" "यार, वो तो एक दिन में बनाकर दे देते हैं। सामने वाले थॉमस अंकल ने बनवाई थी, उनसे पूछ लेंगे सवेरे।" "ठीक है, पर भूलना मत, बहुत ज़रूरी है।"

गुरुवार को दुकानदारों के फोन आ गए और मकान मालिक और ब्रोकर आकर फ्लैट की चाबी दे गए। शुक्रवार को छह बजे सारा सामान वीणा ने अपने सामने उतरवा कर फ्लैट में रखवा दिया और दूसरे दिन सामान जमाने के लिए 11 बजे वर्करों को आने का बोल दिया। वीणा को पूरी गृहस्थी ढाई लाख में जम गई थी। घड़ी से लेकर सोफा सेट तक सामान आ गया था।

शनिवार के दिन दोनों सहेलियों ने सामने खड़े रहकर सारा सामान खुलवा कर जमा दिया। अब फ्लैट बहुत सुंदर लग रहा था। सिर्फ खिड़की-दरवाज़ों के परदे और कॉल-बेल बाकी रह गए थे, जो अगली छुट्टियों के लिए छोड़ दिए। फिर घर आकर

थॉमस अंकल से नेम प्लेट की दुकान का पता ले लिया। आज शनिवार 8 तारीख थी, छुट्टी का दिन था। वीणा को आज छोटे-छोटे बहुत सारे काम निपटाने थे। वो दिन में मम्मी-पापा, भाई और खुद के लिए कपड़े भी खरीदने थे। छोटा भाई मुंबई में मर्चेंट नेवी का कोर्स कर रहा था।

सबसे पहले नेम प्लेट की दुकान पर पहुँचकर पीतल के लेटर वाली ए.आर वानखेड़े और नीचे वीणा वानखेड़े लिखवाया। शॉपिंग से लौटते समय नेम प्लेट लेने का कहकर फिनलेक्स शॉपिंग मॉल की ओर चल दी। कपड़ों की शॉपिंग में चार-पाँच घंटे पता ही नहीं चले, दोपहर का लंच मॉल में कर लिया था। शाम पाँच बजे शॉपिंग मॉल से निकल कर नेम प्लेट उठाई और टैक्सी कर सीधे घर पहुँच गए। खूब सारे बैग्स होने के कारण पार्क में खेल रहे बच्चों को आवाज़ देकर बुलाया। बच्चे बोले, "हाँ, दीदी बोलो।" वीणा ने सबको एक-एक बैग पकड़ा कर घर चलने को कहा।

वीणा ने नेम प्लेट, कॉल-बेल, क्रॉकरी के बैग अपने हाथ में लिए, सहेली ने परदों का बंडल ले लिया। घर पहुँचकर वीणा ने बच्चों को टॉफियाँ दीं। बच्चे खुशी-खुशी फिर पार्क में चले गए। अगले हफ्ते शुक्रवार 15 तारीख को इंदौर निकलना था। इसलिए नेम प्लेट, परदे, कॉल-बेल वाले सारे काम और पापा द्वारा भेजे गए खुद की शादी के कार्ड अपनी कंपनी और कॉलोनी के परिचितों को बाँटने थे।

मम्मी-पापा से दोपहर में फोन पर बात कर शादी की तैयारियों के बारे में पूछा। पापा ने बताया, "सारी तैयारी हम लोगों ने कर ली है। थोड़े कार्ड्स रह गए हैं जो अगले हफ्ते तक बँट जाएँगे।" नेम प्लेट का पैकेट हटाकर देख ही रही थी कि कैसी बनी, तभी आशाराम का फोन आ गया। उधर से आवाज़ आई, "और क्या हो रहा है?" वीणा बोली, "तुम्हारी गृहस्थी जमा रही हूँ।" थोड़ी बहुत बातचीत के बाद आशाराम ने फोन रख दिया।

वीणा इंदौर जाने के लिए चेन्नई एयरपोर्ट पहुँच गई। तीन कारों में कंपनी की सहेलियाँ और सीनियर्स छोड़ने आए थे। उसकी फ्रेंड्स और कुछ सीनियर्स 19 तारीख को शादी में इंदौर आने वाले थे। प्लेन इंदौर के लिए उड़ चला। लगभग ढाई घंटे बाद प्लेन इंदौर पहुँचने वाला था। मम्मी-पापा और आयुष एयरपोर्ट आने वाले थे।

पड़ोस की सीट पर एक अधेड़ उम्र की महिला बैठी थी। उन्होंने पूछा, "बेटी, क्या चेन्नई में नौकरी करती हो?" मैंने कहा, "हाँ, आंटी, मैं यहाँ मल्टीनेशनल कंपनी में जॉब करती हूँ।" उन्होंने बताया, "हमारी बेटी को बेटी हुई थी। दामाद भी यहाँ जॉब करते हैं। इसलिए मैं और तुम्हारे अंकल तीन महीने से चेन्नई में थे। अब वापस इंदौर जा रहे हैं।" मैंने भी बताया, "आंटी, मेरी शादी है, इसलिए इंदौर जा रही हूँ।" "अरे वाह!" आंटी बोली और हँसने लगी। बातों-बातों में सफर कब कट गया, पता ही नहीं चला। प्लेन इंदौर एयरपोर्ट पर लैंड कर सामान चेक होने के बाद मैं एयरपोर्ट की लाउंज में आ गई। मम्मी-पापा, मामा-मामी और बुआ-फूफाजी सभी खड़े हाथ हिला रहे थे। एक बैग मेरे हाथ में था।

सभी लोग एयरपोर्ट से बाहर आ गए। तीन कारें थीं। बुआजी और मामाजी अपनी-अपनी कार लाए थे। बुआजी नीमच और मामाजी रतलाम से शादी के लिए आ गए थे। बुआजी की नातिन ट्विंकल पूछ रही थी, "दीदी, बड़ा हवाईजहाज़ रोड पर क्यों नहीं चलता?" सभी हँसने लगे। बुआजी ने बताया, "उसके पास खिलौने वाला बड़ा प्लेन है जिसमें लाइटें जलती हैं।" फिर मैं बोली, "बेटा, रोड पर छोटी-छोटी गाड़ियाँ चलती हैं, इसलिए हवाई जहाज़ आसमान में उड़कर जल्दी पहुँच जाता है।" मैंने उसे गोद में लेकर अपने साथ कार में बिठा लिया। हम लोग घर की ओर चल पड़े। घर पहुँच कर सारा सामान सब लोगों के देखने के बाद अलमारी में जमा दिया। मम्मी बोली, "आशाराम को हमने 60-70 हज़ार का सूट पसंद करने को कहा था। आशाराम ने 20 हज़ार में सारा सामान ले लिया। कहने लगा, 'दो घंटे के लिए क्या ज्यादा खर्च करना?'" मैं मन ही मन आशाराम की कंजूसी पर हँसने लगी।

शादी के मंडप में आशाराम जी को कत्थई सूट में देखा तो लगा, निर्णय सही था। बिदाई के बाद मेरा ससुराल आना-जाना, रिश्तेदारों से मिलना चलता रहा। खण्डवा से आशाराम जी के दोस्त, मम्मी-पापा, भैया-भाभी और हमारे मम्मी-पापा और रिश्तेदार हमें इंदौर एयरपोर्ट छोड़ने आए। चलते समय मेरे पापा बोले, "बेटा, हमारे दामाद जी का ख्याल रखना।" सभी लोग खिलखिला कर हँस पड़े। चेन्नई की उड़ान के लिए प्लेन रनवे पर दौड़ने लगा। मैंने आशाराम जी का सेफ्टी बेल्ट बाँध दिया, क्योंकि उनके चेहरे पर थोड़ी सी घबराहट अलग दिख रही थी, पहली बार प्लेन में बैठने की।

जब तक प्लेन बादलों में गुम नहीं हो गया, तब तक मैंने उन्हें बातों में लगाए रखा। चेन्नई एयरपोर्ट से टैक्सी कर हम लोग घर पहुँचे तो सहेलियों ने फ़्लैट को सजा दिया था। जैसे ही घर के दरवाज़े पहुँचे, आशाराम नेम प्लेट देखकर चौंक गए। फिर मैंने हँसते हुए कहा, "अंदर चलिए साहब, यह आपका ही घर है।" पड़ोस में रहने वाली सुषमा बोली, "खाना तैयार है, अपन लोग नए दूल्हा-दुल्हन के साथ खाना खाएँगे।" मम्मी ने भी खाना रख दिया था। सुषमा की बात पर दोनों सहेलियाँ हँसने लगीं।

आशाराम जी ने पूरे घर को घूम कर देखा और वीणा की चॉइस की तारीफ की। दूसरे दिन वीणा को ऑफिस जाना था, क्योंकि अगले संडे को कॉलोनी के परिचितों और कंपनी के लोगों को पार्टी देनी थी।

आशाराम को जब मैंने बताया तो कहने लगे, "जैसा तुम चाहो, हम तो तुम्हारे सहारे आ गए।" दोनों हँसने लगे। आशाराम कुछ सोचते हुए बोला, "खाना अगर मैं बनाऊँ तो कैसा रहेगा?" वीणा ने पहले साफ मना कर दिया, लेकिन आशाराम के समझाने और लोगों की पार्टी के बाद सरप्राइज़ देने की बात पर मान गई। दूसरे दिन वीणा शाम को घर लौटी तो आशाराम ने दिन भर बैठकर पार्टी का मेन्यू और लगने वाले सामान की लिस्ट बताई और वीणा से पूछा, "एक दिन पहले चार हेल्पर की आवश्यकता लगेगी और कल से सामान की खरीदी के लिए एक लोकल का बंदा लगेगा जो हिन्दी जानता हो।" वीणा बोली, "हमारी कॉलोनी में खाना बनाने वाली बाई (शगुन) आती है, मैं उनसे बोल दूँगी। आप उनसे बात कर लेना। उनके हस्बैंड यहाँ गार्ड हैं। कॉलोनी के सर्वेंट क्वार्टर में वो लोग रहते हैं।" रात में खाना खाकर दोनों टहलने निकले तो कॉलोनी के गेट पर शकुन बाई के हस्बैंड मिल गए। सारी बातें सुनने के बाद उन्होंने पार्टी से एक दिन पहले दो आदमी लाने का वादा कर लिया, क्योंकि शकुन बाई और मैं तो रहेंगे ही। वह कहने लगा और दूसरे दिन से मार्केटिंग के लिए साथ जाने के लिए भी तैयार हो गया। कहने लगा, "साहब, आप चिंता मत करो, कार्यक्रम अच्छे से निपटा लेंगे।"

आशाराम ने उनका नाम पूछा तो सुरेश बताया। कहने लगा, "साहब, हम लोग राजस्थान के रहने वाले हैं। यहाँ 10 साल पहले चेन्नई में रोज़ी-रोटी की तलाश में आए थे।"

आशाराम ने सुरेश को साथ लेकर पार्टी के सामान की खरीददारी कर ली। पार्टी क्लब हाउस में होनी थी, इसलिए सामान क्लब हाउस के एक रूम में रखवा दिया गया। 200 लोगों का खाना बनना था। इसके लिए सुरेश ने टेंट हाउस के बर्तन, कुर्सियाँ और अन्य सामान शुक्रवार तक पहुँचाने का बोल दिया। शाम को आशाराम ने वीणा से पूछा, "पार्टी के आने वाले लोग कहाँ के रहने वाले हैं?" वीणा बताने लगी, "महाराष्ट्र, राजस्थान, दिल्ली, यूपी और बाकी कुछ चेन्नई लोकल के भी हैं और हाँ, दो मप्र के भी हैं।" आशाराम ने जिज्ञासावश पूछ लिया, "अपने मप्र के दो लोग कौन हैं?" वीणा हँसते हुए, "वानखेड़े साहब और मैं।" आशाराम भी हँस दिया। आशाराम ने हर स्टेट के लोगों को ध्यान में रखते हुए मेन्यू तैयार कर लिया। पार्टी का टाइम सात बजे का था। वीणा बार-बार आशाराम से एक ही बात पूछ रही थी, "आप खाना बना तो लोगे न?" आशाराम कहने लगा, "तुम चिंता मत करो।" वीणा ने क्लब हाउस के पार्क में डेकोरेशन, टेंट और लाइटिंग के काम देख रही थी। शाम छह बजे तक किचन टेंट से खाने की बहुत अच्छी खुशबू आने लगी थी। वीणा बार-बार किचन टेंट में चक्कर लगा आती थी, "वानखेड़े जी, खुशबू तो बहुत ही अच्छी आ रही है।"

वीणा और आशाराम ने सुरेश को रोटी और जलेबी गर्म-गर्म बनाने और सवा सात बजे टेबल पर खाना लगवाने का बोलकर तैयार होने चले गए, क्योंकि छह बज चुके थे। सात बजे से मेहमानों का आना शुरू हो गया था। ठीक सवा सात बजे दोनों ने पूजा कर भगवान को भोग लगाया। फिर हैप्पी मैरिज का केक काटकर पार्टी शुरू करवा दी।

पार्टी की शुरुआत में जिन लोगों ने खाना खाया सभी वीणा से पूछने लगे, "चेन्नई में इतना स्वादिष्ट भोजन किससे बनवाया? बहुत अच्छा बना है।" वीणा आशाराम की तरफ देखा, तो आशाराम ने इशारे में बताने का कह दिया। वीणा ने सरप्राइज़ ओपन करते हुए खुशी-खुशी बोली, "यह खाना वानखेड़े साहब ने बनाया है।" सारे मेहमान चौंक गए। आशाराम जी को बहुत बधाइयाँ मिलने लगीं उनके इस हुनर की। रात 10 बजे तक शायद ही कोई ऐसा व्यक्ति रहा हो जिसने खाने की तारीफ न की हो। आशाराम मन ही मन सोचने लगा, "आज एक और इंटरव्यू का रिजल्ट आ गया।" वीणा का सिर गर्व से ऊँचा हो गया, उसकी खुशी का तो ठिकाना नहीं रहा। पार्टी खत्म होने पर चारों हेल्पर्स को दोनों ने इनाम में 500-500 और एक-एक

जोड़ी कपड़े भी दिए। शकुन बाई को एक सुंदर सी साड़ी दी और घर आ गए। वीणा आशाराम से कहने लगी, "यार, आपने तो एक दिन में इतनी तारीफें बटोर लीं। अब आगे क्या इरादा है? जब से मैं आपको ब्याह कर लाई हूँ, मैं खुद भी चटोरी हो गई हूँ।" आशाराम बोला, "अच्छा, एक बात बताओ, पार्टी के दो सौ लोगों में कितने लोग घर पर खाना बनाते हैं?" वीणा बोली, "100-125 तो बैचलर ही हैं। सुबह कंपनी में चेन्नई का लोकल खाना और शाम को बस में बैठे-बैठे स्विगी और ज़ोमैटो को ऑर्डर देकर काम चलाते हैं।"

"दूसरे स्टेट के लोगों के लिए तो खाने की परेशानी है, लेकिन बेचारे करें भी क्या? टाइम काट रहे हैं, पेट तो भर जाता है।"

दूसरे दिन शाम को खाना-वाना खाकर अपना टिफिन सेंटर का प्रोजेक्ट और सात दिन का मेन्यू वीणा के सामने रखा। इस बार वीणा खुशी-खुशी मान गई, क्योंकि उसकी समझ में आ गया था कि आशाराम होनहार पति है। एकाध एक महीने तो शनिवार-इतवार की छुट्टियों में वीणा ने आशाराम को चेन्नई घुमाया। सैर-सपाटा चलता रहा, जिससे दोनों घूमते रहते थे। वीणा के ऑफिस जाने के बाद आशाराम एक्टिवा लेकर कॉलोनी के आस-पास के क्षेत्र में घूमा करता था और अपनी टिफिन सेंटर की भूमिका बनाता रहता था। उसने देखा, कॉलोनी कैंपस के ठीक सामने एक छोटा सा शॉपिंग कॉम्प्लेक्स था, जिसमें नाई, धोबी, किराने की दुकानें, मेडिकल स्टोर थे और अन्य रोज़मर्रा की ज़रूरतों की दुकानें थीं। कॉम्प्लेक्स के ऊपर वाले फ्लोर पर बड़े-बड़े तीन हॉल, ऑफिस स्पेस के लिए खाली पड़े थे। क्योंकि ये एरिया चेन्नई से 15-20 कि.मी. की दूरी पर था, इसलिए अभी तक किराये पर नहीं गए थे। हर हॉल के साथ दो-दो कमरे भी बने थे। आशाराम ने कॉम्प्लेक्स मालिक से मिलने का निर्णय लिया। दूसरे दिन 11 बजे उनके ऑफिस में पहुँचकर किराया वगैरह की बात की। मालिक बोला, "यार, खाली पड़े हैं, आप पाँच हज़ार किराया, लाइट-पानी का अलग से दे देना।" पानी का 500/- रुपये, लाइट का जो बिल आ जाए। आशाराम को मानो मुँह-माँगी मुराद मिल गई हो। उसने सबसे पहले टिफिन सेंटर का पम्फ़लेट तैयार करवा कर क्लब हाउस और कैंपस के गेट पर सात दिन के मेन्यू के साथ चिपका दिया और पम्फ़लेट में अपना मोबाइल नंबर भी डलवा दिया। शनिवार के दिन सुबह कॉल-बेल बजी, तो वीणा ने दरवाज़ा खोला। तो देखा कि कॉलोनी के बैचलर लड़के-

लड़कियाँ खड़े थे। वीणा मुस्कुराई और उनको ड्रॉइंग रूम में बिठाया, क्योंकि सभी परिचित थे और वहीं से आवाज़ लगाई, "वानखेड़े साहब, आपसे एक जुलूस मिलने आया है।" आशाराम ड्रॉइंग रूम में आया तो उनमें से एक बोला, "सर, टिफिन सेंटर कब से चालू कर रहे हैं?" आशाराम कहने लगा, "अरे यार, अभी एक ऐसा विचार बनाया है।" सभी कहने लगे, "मेन्यू देखकर तो हमें आपकी सारी बातें मंजूर हैं। आप तो यह बताओ मंथली चार्ज कितना रहेगा और हम सभी एडवांस जमा कर देते हैं।" आशाराम बोला, "यार, आप लोग तो अभी हमारे साथ चाय पियो और दो दिन का समय तो दो। दो दिन बाद मैं आप लोगों को बता दूँगा।" वीणा चाय बनाने का बोलकर किचन में चली गई। तीन दिन बाद शाम को अविनाश नाम का लड़का आशाराम जी के घर आया, कहने लगा, "वानखेड़े सर, क्लब हाउस में हम लोग आपका इंतज़ार कर रहे हैं। टिफिन सेंटर के संबंध में चर्चा करनी है।" आशाराम समझ गया कि यह लोग मानने वाले नहीं हैं। खैर, उसने भी मंथली पेमेंट के बारे में सोच लिया था। वेज के 10000/- रुपये और नॉन-वेज के 11000/- फिक्स कर लिया था। आशाराम ने अविनाश से कहा, "आप चलिए, मैं 10 मिनट में आता हूँ।" हफ्ते में एक टाइम नॉन-वेज (संडे) को रखा था।

वीणा आशाराम से बोली, "लगता है आपका टिफिन सेंटर खुल के ही रहेगा।" आशाराम क्लब पहुँचा तो देखा, 25-30 लड़के-लड़कियाँ क्लब हाउस में जमा थे। सभी ने एक साथ आशाराम का अभिवादन किया। अविनाश आशाराम से बोला, "सर, और भी लोग टिफिन के लिए तैयार हो गए थे, इसलिए आपको यहीं बुलवाना पड़ा। तो सर, बताइए एडवांस कितना देना है।" आशाराम बोलने लगा कि वेज खाने के 10,000/- और नॉन-वेज के 11000/- का शुल्क रखा है। "अब आप लोगों के इस संबंध में अगर कोई सुझाव हो तो आप बेझिझक सलाह-मशविरा कर सकते हो।" सभी लोग एक साथ बोल पड़े, "हमें कोई सलाह-मशविरा नहीं करना। हम लोगों ने लिस्ट बना ली है। हमें आपकी शर्तें मंजूर हैं। अब आप यह बताओ कि हमें और कितने दिन टिफिन सेंटर खुलने का इंतज़ार करना पड़ेगा? आपकी दी हुई पार्टी का स्वाद आज तक हमारी ज़बान पर राज कर रहा है।" लिस्ट के अनुसार तीस लोगों ने तीन लाख रुपए गिनकर आशाराम के हाथ में रख दिए। जब तक शगुन बाई सबके लिए कागज़ के मग में इलायची और अदरक वाली चाय लेकर आ गई। चाय की चुस्की लेते हुए आशाराम बोला, "ठीक 10 दिन बाद 1 जनवरी से नए वर्ष में टिफिन सेंटर चालू

कर देंगे। पहला टिफिन 1 जनवरी को सुबह आप लोगों को मिल जाएगा।" सभी लोगों ने ताली बजाकर स्वागत और धन्यवाद दिया। फिर सभी लोग अपने घर चले गए।

आशाराम ने भी घर आकर वीणा को आवाज़ दी और नोटों का बंडल सेंटर टेबल पर रख दिया। आशाराम सोफे पर बैठ गया और लिस्ट देखने लगा। तभी वीणा ड्रॉइंग रूम में आ गई। नोटों को देखकर पूछने लगी, "वानखेड़े साहब, यह क्या है? इतने सारे पैसे!" आशाराम ने लिस्ट वीणा को थमा दी। वीणा को यह बात अच्छी तरह मालूम थी कि यहाँ खाने की कितनी परेशानी है। रस्सम चावल, सांभर, इडली, मेंदू वड़ा-सांभर वड़ा खा-खाकर लोग बोर हो गए हैं। वीणा यह अच्छी तरह जान गई थी, आशाराम के हाथ के खाने का स्वाद ही पब्लिसिटी कर देगा। वीणा मन ही मन खुश हो गई।

आशाराम ने अविनाश के मोबाइल पर मैसेज भेजकर सभी लोगों को दो-दो खाली (चार खाने वाले) टिफिन तीस तारीख तक टिफिन सेंटर में जमा करने का निवेदन किया। सभी ने ओके कर दिया। इधर आशाराम ने दूसरे दिन से अपने प्रोजेक्ट पर काम करना शुरू कर दिया। जो तीन हेल्पर पार्टी में आशाराम के साथ थे, उन्हें उसने अपने यहाँ रख लिया और सुबह 7 से 9 बजे और शाम को 4 बजे से 7 बजे तक के लिए 8000/- और दोनों टाइम खाना देने की बात हुई। तीनों खुशी-खुशी मान गए, क्योंकि दोपहर में वो लोग दूसरा कमा कर सकते थे। 31 दिसम्बर तक आशाराम ने टिफिन सेंटर की सारी तैयारियां कर ली थी। पहले दिन के टिफिन का मेन्यू: पालक पनीर, दाल चावल, रोटी, सब्जी था।

एक तारीख को सुबह 6 बजे से आशाराम हेल्पर्स के साथ खाना बनाने में जुट गया। साढ़े आठ बजे से पहले आशाराम ने टिफिन पैक करवाकर सुरेश गार्ड के पास कैंपस गेट पर रखवा दिए, क्योंकि 8:30 बजे कंपनी की गाड़ी आ जाती थी। सभी अपने टिफिन लेकर बस में बैठ गए। वीणा ने भी अपना टिफिन बैग में रख लिया। वीणा की कंपनी घर से 4 कि.मी. दूर पड़ती थी। समय बीतता चला गया। धीरे-धीरे हर महीने आशाराम के टिफिन सेंटर का नाम होने लगा और ग्राहक भी बढ़ने लगे। छह माह में लगभग 60-70 टिफिन जाने लगे थे। एक दिन आशाराम ने वीणा से कंपनी का लंच टाइम पूछा। वीणा बोली, "1 से 2 बजे तक होता है।" आशाराम सोचने लगा,

"यदि दोपहर में टिफिन कंपनी में पहुँचा दिया जाए तो कैसा रहेगा?" वीणा से सलाह-मशविरा करने पर वीणा बोली, "इतने सारे टिफिन आप एक साथ कैसे पहुँचाओगे?" आशाराम, "ऑटो ले लेंगे। ऑटो अपने और भी काम आएगा। जैसे हफ्ते भर का अनाज, आलू, प्याज और कई छोटे-बड़े सामान के लिए बार-बार भाड़ा नहीं देना पड़ेगा।" वीणा हँसते हुए बोली, "आप तो पक्के बिजनेस मैन बन गए हो।" आशाराम के यहाँ काम करने वाले सदानन्द भैया ऑटो चलाना जानते थे, इसलिए काम आसान हो गया। छुट्टी के दिन जाकर आशाराम और वीणा ने महिंद्रा कंपनी का छत वाला लोडिंग ऑटो खरीद लिया। एक लाख एडवांस जमा कर बैंक से फाइनेंस करवा लिया था। सवेरे खाना बनाने का टाइम 7 बजे की जगह 9 बजे से शुरू कर दिया। अब लोगों को टिफिन कंपनी गेट पर मिलने लगे और खाना भी गर्म रहता था। साल भर में मम्मी-पापा और सास-ससुर वीणा और आशाराम से मिलने आए।

चारों लोगों ने आशाराम की बहुत तारीफ की। दीपावली पर आशाराम ने छह दिन टिफिन सेंटर बंद कर दिया, क्योंकि दीपावली के त्योहार पर सभी अपने-अपने घर जाया करते थे। आशाराम और वीणा भी खण्डवा और इंदौर दो-दो दिन रुक कर चले जाते हैं। एक दिन वीणा आशाराम से बोली, "जब मेरी नौकरी इस कंपनी में लगी थी तो मुझे 40 हज़ार तनख्वाह मिलती थी। 80 हज़ार तक जाने में पाँच साल लगे और तुमने तो साल भर में ही 1 लाख मुझसे भी ज्यादा तनख्वाह तक पहुँच गए। मान गई मैं तुमको।" साल भर बाद, आशाराम ने टिफिन सेंटर के साथ-साथ हॉल में चालीस लोगों के बैठने की व्यवस्था पर होटल चालू कर दिया और एक मैनेजर रख लिया और सारे वर्करों की तनख्वाह 15 हज़ार और दीपावली पर बोनस देने लगा। शकुन बाई और सुरेश तो आशाराम की तारीफ करते नहीं थकते थे।

समय का पहिया घूमता रहा। आज आशाराम और वीणा की शादी की सालगिरह थी। अपने दो बच्चों शैशव और सागरिका के साथ फाइव स्टार होटल में डिनर करते हुए आशाराम ख्यालों में खो गया। तो वीणा ने पूछा, "क्या सोच रहे हो वानखेड़े साहब?" आशाराम बोला, "अब लगता है इश्तेहार सार्थक हो गया और मेरे जैसे कई नौजवानों को एक सीख मिल गई होगी।" वीणा ने धीरे से नेम प्लेट वाली बात बताई कि "मुझे आपका आशाराम नाम पसंद नहीं था, इसलिए मैंने चेन्नई में ए.आर वानखेड़े के नाम की सुंदर नेम प्लेट बनवाई थी। लेकिन अब तो आशाराम

नाम भी मुझे बहुत पसंद आने लगा।" आशाराम ने हँसते हुए अपनी बड़ी सी कार ईको स्पोर्ट का दरवाज़ा खोला और घर वापस आ गए। चेन्नई में खुद का डुप्लेक्स बंगला और नई कार सबसे बड़ी उपलब्धि थी।

13.

कारपेंटर मामा

इंसान द्वारा किया गया हर कार्य इनाम का हकदार होता है, बशर्ते वह समय सीमा में संपन्न किया जाए। यह एक ऐसे ही व्यक्ति की कहानी है, जिनका खानदानी पेशा कारपेंटरी था।

रमेश भाई दमोह के पास एक छोटे से गांव के थे। सामान्य ऊंचाई से कम ऊंचाई के और पैर से थोड़ा लंगड़ा कर चला करते थे। लोग प्यार से उन्हें रमेश मामा कहकर बुलाते थे। आज उनकी उम्र 50 वर्ष के पार हो गई थी। लगभग तीस साल पहले लोहे की पेटी में दो जोड़ कपड़े और ढेर सारा हुनर लेकर रोजी-रोटी की तलाश में शहर आ गए थे। शहर में अनजान व्यक्ति को कोई काम तो देता नहीं था, इस कारण दो-तीन दिन कारपेंटरों की बड़ी दुकानों पर काम मांगने जाने लगे, लेकिन उनकी कद-काठी देखकर लोग सोचते कि "यार, बटला मेहनत का काम क्या कर पाएगा।" इसलिए कोई उन्हें काम नहीं देता था, लेकिन वो निराश होने की जगह दुगने उत्साह से फिर काम ढूंढने लग जाते थे। जिस झुग्गी में वह रहते थे, उनके आसपास की झुग्गियों में कारपेंटर रहा करते थे, जो दुकानों पर दिहाड़ी पर काम किया करते थे। शाम को पूछा करते थे, "रमेश, कहीं काम मिला क्या?" रमेश बोलता, "भैया, अभी नहीं मिला।"

शाम को घर लौटने पर पास ही रहने वाले कालूराम जी जो काफी पुराने कारपेंटर थे और शहर की सबसे बड़ी दुकान पर 20 सालों से काम कर रहे थे, जो हटा गांव के ही रहने वाले थे, रमेश से बोले, "कल तुम हमारे साथ चलना। जहां हमारी दुकान है, उसी लाइन में एक बहुत पुरानी सनकी सेठ की दुकान है। वैसे उनका नाम गिरधारी लाल जी है, लेकिन गुस्सैल स्वभाव के कारण लोग उन्हें सनकी सेठ कहकर बुलाते

हैं। लकड़ी के बहुत बड़े पारखी हैं, मतलब अच्छी तरह पहचानते थे कि किस किस्म की लकड़ी है और इसका फर्नीचर कैसा बनेगा। उनकी दुकान पर चार लोग ही काम करते थे। उनके स्वभाव के कारण कोई टिक नहीं पाता था, लेकिन उनके बारे में बहुत कम लोग जानते थे कि जितने ऊपर से सख्त उतने ही अंदर से नर्म इंसान थे। अपने कारीगरों का बहुत ध्यान रखते थे।"

दूसरे दिन सवेरे रमेश कालूराम जी के साथ उनकी दुकान के पास पहुंच गया। कालूराम जी ने दूर से दुकान दिखाते हुए कहा, "यहां से तुम्हें अकेले ही जाना है। उनके गुस्सैल स्वभाव पर ध्यान मत देना, शायद तुम्हारी किस्मत का ताला खुल जाए। बुजुर्ग आदमी है।"

कालूराम जी के बताए अनुसार रमेश सनकी सेठ की दुकान पर पहुंच गया। "राम-राम सेठ जी" कहकर खड़ा हो गया। सनकी सेठ नीचे झुके कॉपी में कुछ लिख रहे थे, नजरें उठाए बिना ही बोले, "यहां कोई कारीगर की आवश्यकता नहीं है।" रमेश बोला, "सेठ जी, कुछ भी काम कर लूंगा।" सेठ ने नजरें ऊपर उठाकर उसकी तरफ देखा, जैसे चिल्लाकर बोलने वाले हों, "एक बार में समझ में नहीं आता क्या?" लेकिन उसे ऊपर से नीचे तक देखकर कुछ सोचने लगे। चालीस साल से मार्केट में बैठे होने के कारण सेठ जी को अनुभव हो गया था कि कौन काम का व्यक्ति है और कौन नहीं।

तेज आवाज में पूछा, "क्या नाम है तेरा?" रमेश ने अपना नाम-पता सब एक ही सांस में बता दिया। सेठ जी का अगला सवाल, "कहीं और काम वाम किया है?" रमेश बोला, "हां सेठ जी, गांव में करता था, लेकिन परिवार को पूरा नहीं पड़ता था, इसलिए शहर आ गया।" सेठ जी बोले, "कल 10 बजे आना।" "जी सेठ जी, राम-राम" कहकर वापस अपनी झुग्गी में आ गया।

रात में कालूराम जी ने आवाज लगाई, "रमेश, क्या हुआ?" रमेश खाना बना रहा था, दौड़कर बाहर आया। "राम-राम दादा" कहकर बोला, "आओ दादा अंदर आ जाओ।" कालूराम जी अंदर आकर दरी पर बैठ गए। "दादा, उन्होंने कल बुलाया है।" कालूराम जी, "अरे वाह यार रमेश, समझो तुम्हारी नौकरी तो पक्की हो गई। आज तक उन्होंने किसी को भगाने के बाद दोबारा नहीं बुलाया। कल सबेरे 9:30 बजे पहुंच

जाना, सेठ समय का बहुत ध्यान रखता है। उनके लिए समय ही दौलत है, यह मानकर चलना। अच्छा मैं चलता हूं, सबेरे समय पहुंच जाना, अपने औजारों का झोला भी साथ रख लेना। वैसे वहां पर तो अच्छी-अच्छी मशीनें हैं, दुकान के पीछे उनका बहुत बड़ा कारखाना है।"

दूसरे दिन रमेश नहा-धोकर मंदिर जाकर माथा टेक आया। फिर 9:30 बजे तक दुकान पर पहुंच गया। दुकान अभी नहीं खुली थी। ठीक 10:00 बजे सेठ जी आ गए। उनसे पहले उनके यहां काम करने वाले आ गए थे। सेठ जी से चाबी लेकर दुकान खोली। सेठ ने उसे देखकर अनदेखा कर दिया। अंदर जाकर भगवान को अगरबत्ती लगाई और गद्दी पर बैठ गए। जब तक पुराने दो कारीगर अपने-अपने औजार लेकर सेठ जी के वसुंधरा कॉम्प्लेक्स जा रहे थे, सेठ जी समझ गए। क्योंकि कॉम्प्लेक्स का इंटीरियर का काम सेठ जी ने ही ले रखा था। सेठ जी ने घंटी का बटन दबाया तो अंदर से काशीराम नाम का कारीगर बाहर आया, "जी सेठ जी।" सेठ जी बोले, "जो लकड़ियां कल आरा मशीन से कटकर आई हैं, उस पर रंदा लगवाओ।" सेठ जी ने रमेश को आवाज देकर बुलाया और काशीराम के साथ जाने को कहा।

अंदर जाकर रमेश ने देखा अंदर लकड़ियों के बड़े-बड़े ढेर लगे हैं। काशीराम बोला, "इन लकड़ियों पर रंदा लगाना है।" रमेश तो काम का भूखा था ही, तुरंत अपने औजार निकाल कर शुरू हो गया। दो घंटे बाद सेठ जी अंदर आए, रंदा लगी लकड़ियों में से एक लकड़ी उठाकर बाहर चले गए। रमेश समझ गया कि सेठ जी उसका काम देखना चाह रहे हैं। वह मन लगाकर अपना काम करता रहा। लंच के बाद आकर सेठ जी वह लकड़ी उसी रंदा लगी हुई लकड़ियों के ढेर में डाल गए। तीन बजे के लगभग सामने की होटल से चाय वाला लड़का केतली में चाय लेकर आया और सभी कारीगरों को चाय पिला गया। काशीराम बोले, "यह चाय सेठ जी की तरफ से रहती है।" शाम छह बजे घंटी बजी तो काशीराम बोले, "छुट्टी हो गई।" सबने अपना-अपना काम बंद कर घर जाने की तैयारी में लग गए। सेठ जी रमेश से बोले, "कल से समय पर आ जाना।" "जी सेठ जी, राम-राम" कहकर वह भी घर की ओर चल दिए। रास्ते में काशीराम बोले, "सेठ जी हफ्ता पूरा होने पर पैसा देते हैं।"

शाम को कालूराम जी ने आवाज लगाई, रमेश खुशी-खुशी बाहर निकला।

"रमेश!" कालूराम जी बोल पड़े, "हो गई नौकरी पक्की?" "हां दादा, कल से काम पर बुला लिया।" धीरे-धीरे समय बीतता चला गया। गलत काम पर डांट और अच्छे काम पर शाबाशी मिलने लगी। रमेश भी सारा काम सीख गया था। रविवार को छुट्टी रहती थी। पैसे बचाकर रमेश ने गांव में पक्का मकान बनवा लिया था। बच्चे भी सरकारी स्कूल में पढ़ने जाने लगे थे।

अचानक एक दिन सेठ जी की तबीयत खराब हो गई। उन्हें हॉस्पिटल में भर्ती करना पड़ा। फिर सेठ जी लौटकर नहीं आए। पंद्रह दिन उनके लड़के ने दुकान खोली। धीरे-धीरे दुकान फिर चलने लगी, लेकिन सेठ जी और उनके लड़के के स्वभाव में अंतर साफ नजर आने लगा। अपनी लापरवाही की सजा कारीगरों पर उतारने लगा। ग्राहक भी शिकायत करने लगे थे, काम समय पर पूरा नहीं हो पाता था। एक-दो कारीगर पहले ही छोड़कर जा चुके थे, फिर एक दिन रमेश ने भी काम छोड़ दिया। लेकिन इन दस सालों में रमेश के हुनर में निखार आता चला गया। जहां-जहां भी काम करने जाता, लोग उसके बनाए हुए फर्नीचर की तारीफ करते थे। इस कारण रमेश की अच्छी जान पहचान हो गई थी।

उसने दो दिन घूम-घूमकर नौकरी छोड़ने और अपना खुद का काम चालू करने की बात कही और लोगों से निवेदन किया कि अगर आप लोगों को और कोई काम हो तो मुझे याद करना। ऐसे ही कई बिल्डरों के पास भी गया। सभी लोगों ने उसे काम देने का वादा किया क्योंकि उसका व्यवहार और अच्छे काम से लोग भली-भांति परिचित हो गए थे। खाली बैठे-बैठे एक हफ्ता हो गया था, इस बीच दो-तीन दिन गांव भी हो आया था, क्योंकि अब उसे काम करने के लिए और कारीगरों की भी आवश्यकता लगने वाली थी। उसने गांव में चार-पांच लोगों से बात करके उन्हें आने का किराया देकर आ गया था और बोलकर आया कि मेरे मोबाइल का इंतजार करना।

एक हफ्ते बाद वसुंधरा बिल्डर्स के यहां से फोन आ गया कि ऑफिस में आकर मिलो। दूसरे दिन रमेश ऑफिस पहुंच गया। सेठ जी उसे पहचानते थे। सेठ जी नई बिल्डिंग का काम रमेश से करवाने के इच्छुक थे। वे सिर्फ रमेश को साइड दिखाकर काम चालू करने को कहा क्योंकि लेन-देन तो पहले से दोनों को मालूम था। रमेश से उन्होंने पूछा, "कब से काम चालू करोगे?" "सेठ जी, जब से आप कहें तो मैं हाजिर

हो जाऊंगा।"

सेठ जी बोले, "यार रमेश भाई, हमें लकड़ी और प्लाई के बारे में ज्यादा जानकारी नहीं है। इसलिए कल हमारे मैनेजर संतोष जी आपके साथ चले जाएंगे। आप अपने हिसाब से क्या-क्या माल लगना है, दिलवा देना और काम चालू कर लेना।"

"जी सेठ जी" बोलकर राम-राम करी और घर आ गया। एक दिन बैठकर सामान की लिस्ट बना ली। और काम के हिसाब से चार आदमी की जरूरत थी तो उसने गांव से अपने लोगों को बुलवा लिया। और पहले झुग्गी में रहता था, सेठ जी के यहां नौकरी करते-करते उसने दो कमरों का मकान किराए पर ले लिया था, इसलिए गांव से आए कारीगरों को रुकने की दिक्कत भी नहीं थी। चारों एक ही कमरे में रुकते और सुबह-शाम खाना सबका इकट्ठा ही बनाते। बड़ा मजा आता था।

तीसरे दिन रमेश ने काम चालू कर दिया था। 2 फ्लैटों में खिड़की-दरवाजे लगना थे। एक माह का कार्य था। रमेश के सारे कारीगर उसके जैसे ही मेहनती थे। अपना काम ईमानदारी से करते थे। रमेश का यह पहला कार्य था जो उसने अपने जिम्मेदारी पर लिया था। लगभग पच्चीस दिन में कार्य समाप्त कर दिया। सेठ जी के ऑफिस जाकर बोला, "सेठ, काम खत्म हो गया।" सेठ जी ने साइड पर जाकर देखा तो आश्चर्य करने लगे। "वाह यार रमेश, बढ़िया काम किया है। शाम को ऑफिस आकर हिसाब कर लेना।"

शाम को रमेश सेठ जी के ऑफिस पहुंचा। सेठ जी हिसाब कर एक 5000/- का चेक इनाम स्वरूप दिया। रमेश खुश हो गया। वह अपने कारीगरों को भी खुश रखता था, कारीगरों को गांव से ज्यादा मजदूरी मिलने लगी थी। सबका खाना एक साथ बनने के कारण जो पैसा बचता जो अलग। वह लोग भी अपने परिवार को पैसा भेजने लगे थे। रमेश ने सबके अकाउंट बैंक में खुलवा दिए थे ताकि बचत करने की आदत पड़ जाए, क्योंकि जब पहली बार सनकी सेठ ने पहली मजदूरी के साथ यह नसीहत दी थी कि "आज की बचत कल की दौलत है।"

धीरे-धीरे रमेश को अच्छे काम मिलने लगे। जो लोग मकान खरीदते बिल्डर्स

उन्हें बता देते कि लकड़ी का काम रमेश भाई ने किया है। ऐसे उन्हें फर्नीचर और इंटीरियर डेकोरेशन का काम भी मिलने लगा। और जितनी उनके काम की तारीफ होती, उतना ही काम बढ़ता जाता था। नए-नए लोग जुड़ने लगे थे। रमेश भाई ने अपने हुनर की चरम सीमा तक पहुंचने के लिए सुंदर-सुंदर लकड़ी की मूर्ति के टेबल लैंप बनाने चालू कर दिए थे, जो हॉल की शोभा बढ़ाया करते थे जिनकी कीमत हजारों में हुआ करती थी। रमेश भाई की कला को देखते हुए घर-मालकिनें उन्हें कारपेंटर मामा कहकर बुलाने लगी थीं। यह उनके लिए एक नया नाम मिल गया था।

रमेश जहां भी काम देखने जाते थे अकेले ही देखने जाते थे। जो उन्हें काम के लिए बुलाता था, वह उनका हुनर का दीवाना हो जाता था। जब वह काम शुरू करते थे तो चींटियों जैसे किए गए परिश्रम की ओर ध्यान जाता था कि बड़े गुड़ के टुकड़े और मरे हुए कॉकरोच को ढेर सारी चींटियां मिलकर चट कर जाती थीं। उसी फॉर्मूले पर ध्यान में रखते हुए वो काम को करने के लिए कारीगरों का झुंड लेकर आते और एक माह के काम को 20 दिन में पूरा कर इनाम के हकदार हो जाते हैं। उससे उन्हें दो फायदे होते: एक किए कार्य पर मालिक द्वारा इनाम मिलता और दूसरा नए काम ढूंढने के लिए बाकी बचा हुआ समय मिल जाता।

समय का पहिया घूमता रहा। रमेश भाई आज पचपन बसंत पार कर चुके थे। उनके पास 25 कारीगरों की फौज खड़ी हो गई थी, जो आज रमेश भाई के नए मकान के उद्घाटन की तैयारी में लगी थी। कल शहर में रमेश भाई के आलीशान मकान का उद्घाटन होना था, जिसमें शहर के रईस लोग आशीर्वाद देने आने वाले थे। रमेश भाई अपने मकान के गेट पर नेम प्लेट लगा रहे थे जिस पर **"कारपेंटर मामा"** लिखा हुआ था।

14.
शंभूलाल जी पतंग वाले

"तंबू अंकल, चार आने वाली पतंग और चार आने का मांजा दे दो।"

बगैर देखे शंभूलाल ने कहा, "अरे यार, मेरा नाम तंबूलाल नहीं, शंभूलाल है।"

टिल्लू बोला, "हां, वो ही तो है, वोई-बोई।"

शंभूलाल ने टिल्लू को गोद में उठाकर प्रेस करने वाली टेबल पर बिठा लिया। "अब मेरा नाम सही बोलेगा तो तेरे को मैं पतंग, मांजा सब दूंगा। बोल, शंभू अंकल प्रेस वाले।"

टिल्लू ने फट से बोल दिया, "तंबू अंकल प्रेत वाले।"

शंभू भाई और पीछे खड़ी उनकी पत्नी दोनों जोर से हंस दिए। उनकी पत्नी को यह बात मालूम थी कि टिल्लू के दुकान पर आते ही शंभूलाल प्रेस बंद कर उसके साथ बतियाने में लग जाते थे, जबकि दिन भर में प्रेस कराने, पतंग-मांजा खरीदने कई लोग आते थे। लेकिन शंभूलाल जी को टिल्लू का गोलमटोल, हंसमुख चेहरा और तोतली जुबान से लगाव हो गया था, क्योंकि उनके खुद के बच्चे बड़े हो चुके थे।

टिल्लू के लिए एक छोटी पतंग और मांजा निकाल कर उसे टेबल से नीचे उतारते हुए पूछा, "पैसे लाया है?"

"हां," टिल्लू एक हाथ से हाफ पैंट पकड़ता था, क्योंकि वह ढीली रहती थी। उसने दूसरे हाथ से पैसे निकालकर शंभूलाल को दे दिए, और एक हाथ में पतंग-मांजा और दूसरे हाथ से पैंट पकड़े हुए घर की ओर चल दिया। जाते-जाते शंभूलाल ने टिल्लू

को आवाज लगाई, "कल फिर आएगा क्या?"

टिल्लू बोला, "ये पतंग फट जाएगी तो आऊंगा। पापा रोज-रोज पैसे नहीं देते हैं।"

शंभूलाल जी की दुकान के सामने एक पार्क था, जिसमें दिन भर बच्चे खेला करते हैं। टिल्लू के पापा सरकारी कर्मचारी थे, इसलिए मकान मिला हुआ था। टिल्लू के दो बड़े भाई-बहन थे। टिल्लू के पापा घर के कपड़े शंभूलाल जी के यहां प्रेस करवाते थे, इसलिए उनसे दोस्ती थी। शंभूलाल कभी-कभी दुकान से फुर्सत होकर पार्क में बच्चों के साथ गुल्ली-डंडा, फुटबॉल या क्रिकेट जैसे खेल खेला करते थे। पत्नी भी यह जानती थी कि उन्हें बच्चों के साथ खेलने में बड़ा मजा आता है।

लेकिन कभी-कभी शंभूलाल उदास हो जाते थे, क्योंकि छोटी सी प्रेस की दुकान और साथ में पतंगें भी रख ली थीं, जैसे-तैसे गुजारा चल जाता था। उनके दोनों लड़के गरीबी के माहौल में भी अपनी पढ़ाई अच्छे से कर रहे थे। उनकी पत्नी हमेशा समझाती थी कि "भगवान पर भरोसा रखो, सब ठीक हो जाएगा।"

एक दिन शंभूलाल ने देखा, टिल्लू पार्क के कोने में पतंग लेकर एक हाथ से पैंट पकड़कर खड़ा था। दुकान से शंभूलाल ने आवाज दी, "टिल्लू, पतंग क्यों नहीं उड़ा रहा है?" टिल्लू कुछ नहीं बोला। शंभूलाल टिल्लू के पास पार्क में पहुंच गया। टिल्लू, "पतंग कैसे उड़ाऊं? मम्मी ने आज फिर बड़े भैया की हाफ पैंट पहना दी है।" शंभूलाल को हंसी आ गई। वो वापस दुकान जाकर एक रस्सी ले आए और टिल्लू की हाफ पैंट में बांध दी। टिल्लू खुश हो गया, क्योंकि अब उसकी पैंट खिसक नहीं रही थी। दोनों पतंग उड़ाने लगे। शंभूलाल जी ने पतंग उड़ाकर टिल्लू के हाथ में दे दी। टिल्लू मजे से पतंग उड़ाता रहा। शंभूलाल चकरी पकड़कर खड़े रहे। उनकी पत्नी ये तमाशा देख रही थी। शंभूलाल बोले, "अपन कल पेंच लड़ाएंगे और उड़ती हुई पतंगें काटेंगे। मैं अपनी चकरी और पतंग लेकर आऊंगा।" टिल्लू ने खुश होकर 'हां' भर दी। कहने लगा, "अरे यार, कल मम्मी ने फिर भैया की पैंट पहना दी तो?" "उसकी चिंता तुम मत करना, अपन इलाज कर लेंगे।"

दूसरे दिन टिल्लू स्कूल से आकर खाना खाकर सो गया। चार बजे शाम पार्क में पहुंच गया। मम्मी ने आवाज भी लगाई, "कहां जा रहा है?" तो बोला, "तंबू अंकल के पास।" पार्क में पहुंचते ही टिल्लू ने अपनी शर्ट उठाकर दिखाई कि "नाड़ा बंधा है, पैंट नहीं खिसकेगी।" शंभू भाई हंसने लगे और पतंगें उड़ाना शुरू कर दिया। एक-एक करके

पतंग काटने लगे। "अब तू पेंच लड़ा, मैं चकरी पकडूंगा।" टिल्लू को जैसे मुंह मांगी मुराद मिल गई, उसने तुरंत डोर थाम ली और शंभू भाई ने चकरी। शंभू भाई उसे बताते जा रहे थे कैसे पेंच लड़ाना है। टिल्लू पेंच लड़ाने लगा। एक पतंग काट दी, फिर दूसरी से पेंच लड़ाने लगा। पेंच लड़ाते ही पैंट का नाड़ा खुल गया और टिल्लू की पतंग कट गई। शंभू भाई, "अरे यार, तूने पतंग कटवा दी।" टिल्लू बोला, "अरे यार, मेरा नाड़ा खुल गया था।" "चल कोई बात नहीं, आज अपन लोगों ने ढेर सारी पतंगें काट दी।" टिल्लू आज बहुत खुश था। धीरे-धीरे समय का पहिया घूमता रहा। टिल्लू अब बड़ी क्लास में पहुंच गया, तो समय नहीं मिल पाता था। छुट्टी के दिन पार्क में पहुंच कर पतंग जरूर उड़ाया करता था और अब वह तुतलाता भी नहीं था।

आज टिल्लू का मेडिकल में दाखिले का रिजल्ट आ गया था। टिल्लू का परिवार आज बहुत खुश था। टिल्लू मिठाई का डिब्बा लेकर शंभू अंकल की दुकान पर पहुंच गया और डिब्बा अंकल के हाथ में देकर खुशखबरी सुनाई, क्योंकि शंभू अंकल ही सही मायने में उसके मार्गदर्शक थे। क्योंकि वह उसे पतंग उड़ाते समय बताया करते थे कि "अगर मन लगाकर पढ़ाई करोगे, तो पतंग की तरह आसमान पर पहुंच जाओगे।"

इधर शंभूलाल जी के दोनों लड़के प्राइवेट कंपनियों में नौकरी करने लगे। और पास ही दोनों भाइयों ने मिलकर तीन कमरों वाला फ्लैट किश्तों पर ले लिया था और दुकान पर नौकर रख लिया था। अब शंभूलाल जी सिर्फ बैठकर हिसाब-किताब देखा करते थे। पूरा परिवार अब फ्लैट में रहने लगा था।

समय का पहिया फिर चल पड़ा। टिल्लू मेडिकल की पढ़ाई मन लगाकर करने लगा। आखिर वह दिन भी आ गया, टिल्लू अब टिल्लू से डॉ. तन्मय यादव हो गया और डॉक्टर बनकर शहर के बड़े हॉस्पिटल में आ गया। उस दिन शंभूलाल जी के पूरे परिवार को आलीशान होटल में पार्टी दी, क्योंकि टिल्लू शंभू अंकल को अपना पक्का दोस्त मानता था। पार्टी में शंभूलाल जी की दोनों बहुएं और पोता-पोती भी आए थे।

टिल्लू के लिए भी अब रिश्ते आने लगे थे, फिर मम्मी-पापा ने डॉक्टर लड़की से धूमधाम से शादी कर चांद सी बहू घर ले आए। बड़े भईया इंजीनियर थे, जिनकी पहले ही शादी हो चुकी थी। बहन अपने ससुराल पहुंच गई थी, वह भी कॉलेज में प्रोफेसर थी।

एक दिन अचानक शंभू अंकल का बड़ा लड़का वीरू हॉस्पिटल पहुंचा। टिल्लू पेशेंट देख रहा था। टिल्लू ने वीरू भईया को देखा और "क्या हो गया भईया? कैसे आए?" वीरू ने बताया, "पापा सीढ़ी उतरते समय गिरकर बेहोश हो गए।" सुनकर तुरंत टिल्लू ने एंबुलेंस भेजकर शंभू अंकल को हॉस्पिटल में बुलवा लिया। सारे चेकअप करने के बाद दवाइयां दीं, जिससे अंकल को होश आ गया। टिल्लू ने अंकल को दो-तीन दिन हॉस्पिटल में रखकर फिर घर छुड़वा दिया और वीरू भईया को समझा दिया, "अंकल का बुढ़ापा है, ख्याल रखना। दवाइयां समय-समय पर देते रहना। मैं घर पर आकर अंकल का चेकअप किया करूंगा।" धीरे-धीरे अंकल की हालत गिरती जा रही थी। छुट्टी के दिन मैं अंकल को कार में बिठाकर पार्क में ले आया। "अंकल, आज अपन पतंग उड़ाएंगे।" अंकल मुस्कुराकर कहने लगे, "टिल्लू यार, अब तो भगवान के साथ ही पतंग उड़ाने की इच्छा है।" मैंने कहा, "अरे यार, फालतू बात मत करो।" और हम लोग पतंग उड़ाते और पेंच लड़ाते रहे। अंकल चकरी पकड़कर बैठे रहे। अंधेरा होने पर मैं उनको घर छोड़ आया। आज वे बहुत खुश थे, कहने लगे, "यार, मजा आ गया।"

एक दिन मैं हॉस्पिटल में बैठा पेशेंट देख रहा था, तभी वीरू का फोन आया, "पापा की तबीयत खराब लग रही है।" मैंने वीरू से कहा, "मैं एंबुलेंस भिजवा रहा हूं, तुम अंकल को लेकर हॉस्पिटल लेकर आ जाओ।" टिल्लू ने पूरा चेकअप किया और अब समझ में आ चुका था कि अब अंकल कुछ दिनों के मेहमान हैं। उसने किसी को न बता कर अपनी पूरी डॉक्टरी की पढ़ाई का उपयोग करते हुए अंकल के इलाज में कोई कसर नहीं छोड़ी। आखिरी रात को टिल्लू को नींद नहीं आई, क्योंकि उसे मालूम था, कल अंकल को विदाई देना है। सुबह जल्दी उठकर वह हॉस्पिटल पहुंच गया। वह आज डॉक्टर नहीं, दोस्त की हैसियत से हॉस्पिटल गया था।

वेंटिलेटर भी अंकल को विदाई दे रहा था। करीब आठ बजे अंकल ने आखिरी बार आंखें खोलीं। पूरा परिवार अंकल के बेड के चारों ओर जमा था। सबकी आंखों में आंसू झलकने को तैयार थे। टिल्लू की तरफ देखकर हाथ बढ़ाया। टिल्लू ने अंकल का हाथ थाम लिया। अंकल के चेहरे पर मुस्कुराहट आ गई। टिल्लू आंसुओं के सैलाब को रोककर मुस्कुरा दिया और अंकल की पतंग कट गई। टिल्लू ने अंकल के चेहरे पर हाथ फेरकर आंखें बंद की और फफककर रो पड़ा कि अंकल हमें छोड़कर चले गए। तंबू अंकल, अलविदा।

15.
सेवानिवृत्ति
(क्या खोया क्या पाया)

लगभग पैंतीस वर्षों तक शासकीय सेवा में अफसर के पद पर कार्य करने के बाद आखिर वह दिन आ ही गया, जो हर छोटे से छोटे कर्मचारी तथा बड़े से बड़े अफसर के जीवन में आता है, सेवानिवृत्ति का दिन। लेकिन वर्मा साहब को हफ्ते भर पहले से एक अजीब सी बेचैनी हो रही थी, क्योंकि वर्मा साहब को अपने नाम से ज्यादा ऑफिसर के किरदार की आदत पड़ चुकी थी।

शाम को विदाई समारोह की भव्य पार्टी की तैयारियां हो चुकी थीं। बारह बजे ऑफिस पहुंचने के बाद केबिन में कभी अकेले कभी अपने जूनियर अफसरों और बाबुओं के साथ वार्तालाप में कब पार्टी का समय हो गया था, पता ही नहीं चला।

ऐसा लग रहा था मानों केबिन की हर चीज जैसे टेबिल, कुर्सियां, आलमारी, सोफे यहां तक केबिन की दीवारें इस रोबदार ऑफिसर को विदाई दे रही हों, क्योंकि अफसरी के ईगो की मोटी परत हफ्ते भर पहले से पिघलती जा रही थी। सर्वसुविधा युक्त सोने के पिंजरे में अपने आप को कैद रखने में बड़ा मजा आने लगा था।

शासकीय कार्यों में व्यस्त रहने के कारण सामाजिक कार्यों, दोस्तों-यारों से संपर्क कम हो चुका था, या पोस्ट के कारण किनारा कर लिया था। पार्टी में हार-फूल, मालाओं से स्वागत, दो-चार अफसरों के औपचारिक भाषण, स्वयं द्वारा कहे दो शब्दों के साथ स्वल्पाहार का कार्यक्रम समाप्त हो चुका था। घर से विदा कराने आए मेहमानों में पत्नी और दो-चार जबरदस्ती बुलाए गए रिश्तेदार, क्योंकि वर्मा जी का

बेटा और बेटी दोनों फॉरेन में सेटल थे, इसलिए नहीं आ पाए।

विदाई समारोह में एक व्यक्ति आकर्षण का केंद्र बना हुआ था, जो देहाती पहनावा धोती-कुर्ता और गमछा डाले घर से आए मेहमानों के साथ बैठा था। मैं भी अखबार के पत्रकार की हैसियत से बड़े अफसर की पार्टी में था। पूछने पर पता चला कि वह वर्माजी का किशोरीलाल, बचपन का वह दोस्त था, जो वर्मा जी को सेवाराम कहकर बुला सकता था, क्योंकि उनका नाम सेवाराम वर्मा था, जो यह कहने की ताकत रखता था कि "जा रे, तू अफसर होगा अपने घर का" जो वर्मा जी के गांव से पधारा था।

विदाई समारोह समाप्त होने के पश्चात कुछ अफसर वर्मा जी को बंगले तक छोड़ने आए। रात्रि में बाहर से आए हुए मेहमान चले गए थे। घर में दो प्राणी वर्मा और धर्मपत्नी रह गए थे। हफ्ते भर बाद बंगला भी खाली करना पड़ा। समय का परिंदा उड़ने लगा। पुरानी यादें, सरकारी बंगला, नौकरी, चाकर, गाड़ियां, ऐशो-आराम, तुनक मिजाज अब वर्मा जी को थपेड़े से मारने लगे थे। डॉक्टर के अनुसार गोली-चाकलेट लेकर बीमार सेवानिवृत्त शरीर के बोझ को धकेलना सीख रहे थे, क्योंकि अफसर की आत्मा तो केबिन से ही विदा हो चुकी थी।

सेवानिवृत्त होने के एक माह तक वर्मा जी एकांकी जीवन का भरसक प्रयास कर रहे थे, क्योंकि उनके अकड़ू स्वभाव के कारण ऑफिस का कोई भी व्यक्ति उनसे मिलने नहीं आया।

एक माह में दो-तीन बार बेटे और बेटी से बात हुई जो फॉरेन में रहते थे। नाती-पोतों से वीडियो कॉलिंग करते पर थोड़ी खुशी मिली। बेटी वर्मा जी से बोली, "चाहे कुछ भी हो जाए, आप अपने आप को व्यस्त रखने की कोशिश करना।"

वर्मा जी सोच-सोचकर परेशान हो रहे थे, "कौन सा ऐसा काम है?" क्योंकि फाइलों पर दस्तखत करने और सरकारी मीटिंगों के अलावा तो कुछ आता ही नहीं था।

एक दिन वर्मा जी ने दोपहर में किशोरीलाल को फोन लगाया, लेकिन फोन उनके पोते ने उठाया। कहने लगा, "दादाजी तो खेत पर गए हैं, शाम को आएंगे।" वर्मा जी

बोले, "अपने दादाजी से बोलना, सेवाराम का फोन आया था, बात कर लेना।" उनकी धर्मपत्नी जो सामने बैठी थी मुस्कुराने लगी, क्योंकि उन्हें भी 'वर्मा साहब' सुनते-सुनते पैंतीस साल बीत गए थे।

रात करीब आठ बजे फोन की घंटी बजी, सेवाराम समझ गए किशोरीलाल का फोन है। जल्दी से फोन मिलाया। दूसरी तरफ से आवाज आई, "हां सेवाराम बोल। कसो याद कियो? हमारी आज कसी कई याद आ गई? कई हाल-चाल है? भाभी कसी है?" सेवाराम बोले, "सब मजे में हैं, थारी भाभी जी ठीक-ठाक ही है। अब रिटायरमेंट के बाद काम ही क्या है? सोना और खाना ही रह गया है।" "और गांव में सब कैसे हैं? जगतराम, खुशीलाल, मोहन, नारायण के क्या हाल-चाल हैं?" क्योंकि सेवाराम जब कभी 35 सालों में हर साल एक-आध दिन के लिए गांव जाते थे, तो अफसरी का रोब और सरकारी गाड़ी का जलवा देखते ही बनता था। लेकिन ये चार-पांच दोस्त बचपन में साथ खेले, बड़े हुए थे, इसलिए इनसे गांव जाने पर मिलना हो जाता था।

किशोरीलाल बोला, "यार, तू काम-धंधे से फोकट हो ही गयो है, गांव आ जा, खुद ही मिल लें।"

सेवाराम, "यार, तूने मेरी मुंह की बात छीन ली। मैं और थारी भाभी अगले हफ्ते गांव आ रहे हैं, इसलिए तुझे एक तकलीफ देनी थी। हमारे मकान की जरा साफ-सफाई करवा देना।" किशोरीलाल, "यार, ये भी कोई बोलने की बात है? करवा दूंगा। कितने दिन के लिए आयो? थोड़ा बहुत राशन-पानी भी भरवा दूंगा।"

"यार, अभी तो पंद्रह-एक दिन रहूंगा।" किशोरी खुश हो जाता है, "वाह यार, तब तो बड़ा मजा आएगा।" सेवाराम को मालूम था, नवंबर-दिसंबर में गांव में खेतों में उगी सब्जियों का स्वाद अलग ही रहता है। किशोरी, "यार, तू धोती-कुर्ता तो पहनेगो नहीं, अपने लिए कुर्ता-पायजामा रख लेना। यहां तेरा सूट-बूट नहीं चलेगा, क्योंकि तू अब अफसर नहीं रह गया, खाली सेवाराम बनकर आ जा।" किशोरी की बात सुनकर सेवाराम खिलखिलाकर हंस दिया और बोला, "बाकी बातें गांव आने पर करेंगे। अब मैं फोन रखता हूं।"

किशोरी भैया से बात होने के तीन-चार दिन बाद वर्मा जी की मिसेज लगातार वर्मा जी में आते हुए बदलाव को देख रही थीं। रिटायरमेंट के बाद अजगर की तरह घर में पड़े रहने वाले वर्मा जी में सांप की फुर्ती आती जा रही थी।

शनिवार के दिन हम लोग गांव की ओर चल दिए। लगभग चार-पांच घंटे का सफर, खाने-पीने, रुकने-रुकाने, रास्ते में खेतों की हरियाली देखते हुए कब सफर कट गया पता ही नहीं चला।

गांव में पहुंचने पर देखा किशोरी भैया हमारे घर के सामने खड़े थे। मुझसे बोले, "भाभी चाबी लो और अपने शुभ हाथों से दरवाजा खोलो।" मैं और वर्मा जी हंस दिए। ताला खोलकर मकान में चल दिए। अंदर मकान देखकर आत्मा खुश हो गई, किशोरी भैया ने मकान सजाकर रख दिया था। शाम के पांच बज चुके थे। इधर किशोरी भैया से साथ में आए नाती से बोले, "जा रे, थारी मम्मी से बोल, बड़े दादू और दादी के लिए अच्छी चाय बनाए और शाम के खाने की तैयारी करें।"

मैं बोली, "और किशोरी भैया, खाना हम बना लेंगे।" कहने लगे, "आज तो मैं ही मेहमानी करूंगा, कल से रामकटोरी (गांव में काम करने वाली बाई) आपकी मदद के लिए आ जाएगी। सबेरे ताजा दूध में घर से भिजवा दिया करूंगा। और हां सेवाराम, कल से थारी जमीन तू संभाल, बीस सालों से महारे माथे बोझ थी।" सभी लोग हंस दिए। किशोरी भैया दूसरे दिन सबेरे पांच बजे आने का कहकर अपने घर चले गए।

दूसरे दिन सुबह-सुबह किशोरी भैया ने आवाज लगाई, "सेवाराम, उठ गए क्या?" दरवाजा खटखटाया तब जाकर सेवाराम की नींद खुली। दरवाजा खुला, सेवाराम बाहर आए कहने लगे, "यार, रात में देर से नींद आई थी।" किशोरी भैया ने सेवाराम की बात को नजरअंदाज करते हुए, "अच्छा, चलो फटाफट दातुन पकड़ो और खेत पर चलो।"

किशोरीलाल और सेवाराम खेतों की ओर चल दिए। मार्च का महीना था, ठंडी-ठंडी हवा चल रही थी। सूरज भाई ने भी आसमान से झांकना शुरू कर दिया था। पक्षियों की आवाजें भी मधुर संगीत सुना रही थीं। दोनों दोस्त बतियाते हुए खेतों की ओर बढ़े जा रहे थे। रास्ते में सेवाराम पूछते जा रहे थे कि किस-किसके खेत हैं। और

बातों-बातों में खेतों पर पहुंच गए। दोनों के खेती की एक ही मेड थी। सेवाराम अपने खेतों लगे गेहूं-चने देखकर दंग रह गए। गेहूं की हरियाली आंखों को ठंडक पहुंचा रही थी। मन ही मन किशोरीलाल को धन्यवाद दे रहे थे ये दृश्य दिखाने के लिए।

पड़ोस में खड़ा किशोरीलाल पूछने लगा, "क्या सोच रहा है?" सेवाराम, "कुछ नहीं यार, बस ऐसे ही" कहकर अपने आंसू पोंछने लगा। किशोरी बोला, "अरे तू रो रहा है? कई बात हो गई? म्हारे से कई गलती हो गई के?" सेवाराम ने पलट कर किशोरी को गले लगा लिया।

"चल, पंप पे चलें, हाथ-मुंह धो लें और पंप पे ही नहाएंगे।"

"अरे यार, अपन साबुन और तौलिया तो लाए नहीं, नहाएंगे कैसे?"

बनावटी गुस्से में, "थारे साबुन, तौलिये और बाथरूम की ऐसी की तैसी! तू चल तो सही।" सेवाराम चुपचाप पीछे-पीछे पंप पर चल दिया।

किशोरीलाल ने पंप पर पहुंच कर जोर से रघु को आवाज लगाई, "जरा लोटा, रघु, तौलिया और बंडी और मिट्टी का कटोरा लाओ।" अंदर से आवाज आई, "जी भैयाजी।" रघु को किशोरीलाल ने दोनों खेतों की रखवाली और गाय-भैंसों को चराने के लिए हाली रख लिया था।

पंप के पास बनी झोपड़ी में रघु अपने दो बच्चों और पत्नी के साथ रहता था। पत्नी रघु के काम में हाथ बटाती थी। दोनों बच्चे गांव के सरकारी स्कूल में पढ़ते थे। रघु दौड़ता हुआ आया, "राम-राम बाबूजी लोगों को।"

सेवाराम बोले, "कैसे हो रघु?" "मजे में हूं बाबूजी।" इतने में किशोरीलाल बोला, "ये थारो तौलियो और ये बंडी। साबुन भी बना रिया हूं।" रघु ने मोटर चालू कर दी। किशोरी ने खेतों की मिट्टी कटारे में डालकर पानी भर दिया। "ये ले थारो साबुन।" सेवाराम बोला, "अरे यार, ये तो मिट्टी है।" किशोरी बोला, "अरे यार, ये मिट्टी नहीं है, ये धरती मां का दिया हुआ तोहफा है, जो छोटे गेहूं-चने के एक-एक दाने को बच्चे की तरह पालकर-पोसकर बड़ा करती है। आंधी-तूफान से लड़ने की शक्ति देती है। थारे साबुन-शैंपू से लाख गुना अच्छी है। चुपचाप मुंह धो ले फिर नहा लेना, ज्यादा

नौटंकी मत करना।"

किशोरी नहाने के हौदी के पास पहुंचकर कपड़े उतार कर नहाने लगा। सेवाराम चुपचाप खड़े होकर देख रहे थे और बचपन में खेती में बिताए दिनों को याद कर रहे थे। किशोरीलाल सारे शरीर पर मिट्टी मल रहा था और बालों में भी मिट्टी पोतकर बाबा बन रहा था। देखने में मिट्टी का पुतला लग रहा था। फिर पंप की मोटी धार के नीचे जा बैठा। सेवाराम देख रहा था, जैसे काजू के फल से सफेद चमकदार काजू बाहर आता है, वैसे ही किशोरीलाल लग रहा था। सेवाराम भी किशोरीलाल का देखा-देखी पंप पर पहुंच कर हौदी में हाथ डाला। गरम पानी देखकर हैरान रह गया। "अरे यार, ये तो गरम पानी है।" किशोरी बोला, "ये ही तो धरती माता हम किसानों का ध्यान रखती है।"

सेवाराम ने नहा-धोकर बंडी और तौलिया लपेट लिया। किशोरी बोला, "चल अब खेतों का चक्कर लगाकर आते हैं।" तब तक रघु चाय बनवाकर ले आया। दोनों चाय पीकर चल दिए। खेतों में घूमते हुए समय का पता ही नहीं चला। बारह बज गए थे, सूरज भैया सर पर आ गए थे। दोनों रघु की झोपड़ी के सामने खटिया पर बैठ गए। रघु की घरवाली दो मक्के की गरम-गरम रोटी और दूध से भरे दो कटोरे रखकर चली गई। किशोरी बोला, "चल नाश्ता कर ले।" किशोरी दूध में मक्के की रोटियां चुरना चालू कर दी।

सेवाराम सोचने लगा, "घर पर पोहे या उपमा खाने मिलता था।" लेकिन भूख का समय होने के कारण मक्के की रोटी भी पकवान लग रही थी। किशोरी बोला, "चल अब मक्का की रोटी पचाने चलते हैं।" सेवाराम बोला, "अरे यार, अब घर चलते हैं, तेरी भाभी इंतजार कर रही होगी।"

"रहने दे, मैं भाभी को बोल आया था शाम का खाना घर पर खाएंगे।" सेवाराम मन ही मन सोचने लगा, "आज तो बुरे फंसे।" किशोरी बोला, "रघु जानवरों को पास के जंगल ले गया है, वहीं चलते हैं।" "अरे यार, जंगल में रघु को ढूंढेंगे कहां?" "अरे यार, तू चल तो सही।"

सेवाराम जंगल के पास पहुंचने पर उनके कानों में हल्की-हल्की गानों की आवाज सुनाई देने लगी। किशोरी बोला, "आ जा, इस तरफ चलते हैं।" गाने की

आवाज तेज होती जा रही थी। थोड़ी देर में गाने वाला दिखाई देने लगा। पास पहुंच देखा रघु ही लोक गीत गा रहा था। सेवाराम बोले, "वाह या रघु, बहुत सुरीला गा लेते हो।" "कहां से सीखा?" "कहीं से नहीं साहब, शाम को थोड़ा बहुत टी.वी. देख लेते हैं। टी.वी. में गाने सुनकर इच्छा होती थी तो यहां आकर गा लिया करता हूं। पहले समय नहीं कटता था, अब समय का पता ही नहीं चलता।"

"कहां तक पढ़े हो?" "साहब, चार क्लास पास हैं। फिर स्कूल को बाहर से ही देखते हुए इतने बड़े हो गए।" सेवाराम ने देखा चार-पांच चरवाहे भी अपनी-अपनी गायें-भैंसे जंगल में चराने आते और दिन भर रघु से गाने सुना करते थे। साइकिल की घंटी की आवाज सुनकर रघु उठ खड़ा हुआ। फिर गाना गाने लगा। थोड़ी देर में सेवाराम ने देखा, रघु का लड़का जो 12-13 साल का रहा होगा रोटी लेकर आया था। किशोरी और सेवाराम को देखकर पैर छुए। "बाबा, अम्मा बोली है, दादुओं की पसंद की चने की भाजी बनाई है और छोटी पोटली में मूली, प्याज, टमाटर और हरी मिर्चें हैं। लकड़ी का गट्ठा साइकिल पर बांध दो, मुझे घर जाकर पढ़ाई भी करना है।"

किशोरीलाल ने रघु की छागल से लोटे में पानी निकाला और दोनों हाथ धोकर खाना खाने बैठ गए। किशोरी ने सब्जी का डब्बा खोलने से पहले सेवाराम से बोले, "ऐसी भाजी शहर में कौन सी होटल में मिलती है, सोचकर बताना।"

डब्बा खुलते ही सब्जी की सोंधी-सोंधी खुशबू सेवाराम की भूख बढ़ाने लगी। सोच रहा था मक्के की दो रोटी शाम तक चल जाएगी। जब तक रघु खाकरे के पत्तों से पत्तल और दोने बना लाया। फिर पानी से धोकर खाना परोसने लगा। तब तक किशोरीलाल मक्के से प्याज फोड़कर एक पत्ते पर सलाद और नमक रख दिया।

किशोरी ने रघु के दोस्तों को जो दूर बैठकर खाना खाने की तैयारी कर रहे थे अपने पास बुला लिया। वो बेचारे झिझकते हुए आकर बैठ गए। किशोरी बोला, "आज हमारे साथ खाओ।" "जी भैयाजी" बोलकर सबने अपने-अपने डिब्बे खोले। किसी के पास खट्टे छाछ की कढ़ी, तो किसी के पास भुने आलू का भरता तो किसी के पास सिलबट्टे पर पिसी हुई टमाटर की चटनी। सबने मिल-बांट कर खाना खाया। "सेवाराम, रोटी से चार प्रकार की सब्जी। मजा आ गया किशोरी, क्या स्वादिष्ट खाना था।"

किशोरी कहने लगा, "थोड़ी देर सुस्ता ले फिर चलेंगे।" गमछा बिछाकर पत्थर का सिराहना लगाकर लेट गया। सेवाराम ने भी वैसा ही किया। जंगल की खुशबूदार ठंडी हवाओं में कब आंख लग गई पता ही नहीं चला। किशोरीलाल ने आवाज लगाई तो नींद खुली, "चले कि और रुकना है?" "चलो यार, चार बज गए।" दोनों खेत की ओर चल दिए। रास्ते में सेवाराम ने किशोरीलाल से चने की भाजी की तारीफ की और कैसे बनाते हैं पूछने लगे। किशोरी बोला, "जिसने बनाई है उसी से पूछ लेंगे।"

रघु की झोपड़ी पर पहुंच कर खटिया पर बैठ गए। रघु का बेटा जो पढ़ाई कर रहा था, अंदर जाकर पीने का पानी और कटोरे में भुने हुए होले ले आया। हाथ-मुंह धोकर दोनों दोस्त चने खाते-खाते बतियाने लगे। रघु को आता देख बेटा बोला, "अम्मा, बाबा भी आ गए, बाबा के लिए भी चाय बना लेना।" रघु भी हाथ-मुंह धोकर नीचे चटाई बिछाकर बैठ गया। छोटी गुड्डी रघु के गोद में आकर बैठ गई जो अभी चार साल की थी। किशोरी ने रघु से कहा, "दुल्हन को बुला।" रघु ने फौरन आवाज लगाई, "रामकटोरी, बड़का भैयाजी बुला रहे हैं।" रामकटोरी लंबे घूंघट में थाली में तीन कप चाय ले आई। हम दोनों के पैर छूकर पास में खड़ी हो गई।

किशोरी बोले, "शहर वाले भैयाजी को बता, चने की भाजी कैसे बनाई?"

रामकटोरी, "हम चने की भाजी, हरी मिर्च, अदरक, लहसुन, नोन सब मिलाकर सिलबट्टे पर पीसे रहे और सरसों के तेल में जीरा डालकर छोका लगा दिए और दो गिलास पानी डालकर चूल्हे पर पकने दिए।"

सेवाराम बोले, "बहू, सब्जी बहुत ही स्वादिष्ट बनी थी।"

रघु जब तक दो दूध की डोलची लेकर आ गया। "चलो सेवाराम, अब घर चलते हैं।" दोनों ने एक-एक डोलची उठाई और घर की ओर चल दिए।

घर पहुंचने पर देखा भाभी दरवाजे पर कुर्सी लगाकर इंतजार कर रही थीं। हंसते हुए कहने लगीं, "क्या बात है भैया, सूरज भैया साथ लेकर गए और छोड़ने भी आए।" किशोरी बोला, "हां भाभी, ये ही समझो।"

सेवाराम बोले, "दिन कब बीत गया पता ही नहीं चला।" किशोरी बोला, "गाय-

भैंसे चराओगे और जंगल में पिकनिक मनाओगे तो दिन क्या, रात का भी पता नहीं चलेगा। चलो मैं चलता हूं, तुम लोग खाना-बाना खाओ और आराम करो।" भाभी बोली, "किशोरी भैया, आप भी यही खाना खा लो।" "नहीं भाभी, मुझे जब खाना होगा, मैं एक दिन पहले बता दूंगा। और सेवाराम, सबेरे तैयार रहना, गेहूं में पानी फेरना है।" तीनों हंसने लगे। "क्योंकि तूने बोला है कि मैं एक महीने के लिए आया हूं।" सेवाराम बोले, "हां तो।" "तो बस 15 दिन मेरे साथ रहना, फिर चाहे 15 दिन जैसे चाहे बिताना।"

भाभी हंसते हुए बोली, "वर्मा साहब को किसान बनाकर ही छोड़ोगे?" "हां भाभी, घर-गृहस्थी जम जाए तो आप भी चला करना।" "हां भैया, मुझे तो हरियाली अच्छी लगती है।"

किशोरी भैया के जाने के बाद सेवाराम ने खाना खाते हुए दिन भर की दिनचर्या सुनाई। "इतना पैदल शायद ही कभी चले हो सर्विस में आने के बाद। चलो, मुझे तो नींद आ रही है।" भाभी बोली, "अरे, क्या बात है? अभी नौ भी नहीं बजे हैं। शहर में तो बारह बज जाते हैं सोते-सोते। आज तो आप सबेरे गोली खाना ही भूल गए ब्लड प्रेशर की। रात को नींद की गोली नहीं खाओगे?" सेवाराम 'नहीं' कहकर सोने चले गए। पत्नी अकेली टी.वी. पर सीरियल देखती रही और सोचती रही वर्मा साहब आज जल्दी कैसे सो गए। टी.वी. बंद कर जब कमरे में सोने गई तो देखा वर्मा जी गहरी नींद में थे।

समय का पहिया घूमता रहा। धीरे-धीरे वर्मा जी की बादी और पेट का घेरा कम होने लगा। वर्मा जी के चेहरे पर शाम को थकान की जगह चमक दिखाई देने लगी। भाभी ने मजाक में पूछ ही लिया, "आजकल कौन सा साबुन यूज कर रहे हो? आप बड़े चमक रहे हो।" वर्मा जी मुस्कुराते हुए, "खेत की मिट्टी।" "अरे वाह! और रात में नींद की गोली? क्या उसकी भी जरूरत नहीं?" "हां, सच में, बगैर गोली के नींद आ जाती है और सबेरे अपने आप नींद खुल जाती है।"

लगभग आठ-एक दिन बाद रविवार को गांव में छोटा सा साप्ताहिक हाट लगता था। जरूरत का सामान, खेती के औजार, कपड़ों की दुकानें, आस-पास के गांव की ताजी सब्जियां और खाने-पीने की दुकानें लगा करती थीं। आज किशोरीलाल, वर्मा

जी और भाभी जी को हाट का नजारा दिखाने वाले थे।

सुनंदा (वर्मा जी की पत्नी), "वर्मा जी, एक बात पूछें?" "क्या बात है? पूछो।" सुनंदा बोली, "हम सोच रहे थे यहां के स्कूल में सबेरे-सबेरे छोटे-छोटे बच्चे स्कूल जाते हैं तो उन्हें हफ्ते में दो दिन कुछ-कुछ खाने का सामान दिया करें।" वर्मा जी बोले, "हां-हां, क्यों नहीं?" वर्मा जी जानते थे कि उनका मकान स्कूल के रास्ते में पड़ता है। रोज घर के सामने से छोटे-छोटे बच्चे स्कूल जाया करते थे। पति-पत्नी दोनों किशोरीलाल जी के साथ हाट पहुंच गए, जहां सभी प्रकार की दुकानें लगी थी और अच्छी खासी भीड़ थी। आस-पास के गांव के लोग अपने हफ्ते भर का जरूरत का सामान हाट से ही लिया करते थे। सुनंदा जी ने कुछ ताजी सब्जियां और फल खरीदे। किशोरीलाल ने भी अपने घर की जरूरत का सामान और गाय-बैलों के खली, ककड़े खरीदे थे। फिर नत्थूलाल को बैलगाड़ी लेकर आने को कहा। सारा सामान उस पर लदवाकर घर भेज दिया और तीनों शाम होने पर हाट घूमते रहे। लौटते समय किराने की दुकान से छोटे-छोटे बिस्किट के साठ-एक पैकेट खरीद लिए और घर आ गए।

दूसरे दिन वर्मा जी और सुनंदा जी ने सभी बच्चों को स्कूल जाते समय एक-एक पैकेट दिया। बच्चे खुशी-खुशी लेकर स्कूल चले गए। सुनंदा जी बच्चों को बदल-बदलकर खाने का सामान जैसे उबले हुए चने, अंकुरित सलाद, कभी कोई मौसमी फल दिया करती थीं। इसका एक फायदा हुआ, बच्चों की उपस्थिति स्कूल में शत-प्रतिशत रहने लगी। दिन बीतते गए। गांव में यह बात फैल गई। सभी बच्चों के मां-बाप भी खुश हो गए कि अब बच्चे मन लगाकर पढ़ाई करने लगे और अपने-अपने घरों पर जाकर दादू-दादी की खूब तारीफ करते और उनके द्वारा बताई गई अच्छी बातों पर ध्यान दिया करते और अपनी आदत में ले आते।

बच्चों की मांएं भी जब घर में कोई अच्छी सब्जी या दाल बनातीं तो दादू-दादी के घर पहुंचाना नहीं भूलती और दादी के घर के छोटे-छोटे कामों के लिए सारा गांव हमेशा तैयार रहता। वर्मा जी भी इस परिवर्तन को देखकर फूले नहीं समाते, क्योंकि शहरों में कभी उन्हें इतना अपनेपन वाला व्यवहार कभी मिला ही नहीं। उन्होंने अपना शहर वाला मकान किराये से देकर गांव में ही रहने का फैसला कर लिया। वर्मा जी के बच्चे भी गांव आते तो यहां का वातावरण देखकर खुश हो जाते। बेटी को तो सबसे

ज्यादा मजा आता था, क्योंकि उसने ही पापा को कहा था कि रिटायरमेंट के बाद खाली नहीं बैठना। वर्मा जी और सुनंदा जी किशोरी भैया की तारीफ करते नहीं थकते थे और हर 26 जनवरी, 15 अगस्त पर वर्मा जी परिवार सहित अतिथि होते और प्रतियोगिताएं आयोजित करवा कर बच्चों को इनाम भी दिया करते थे।

ज़रूर, मैं आपके दिए गए पुस्तक के पाठ को संपादित और प्रूफरीड कर सकता हूँ। मैंने पाठ को सही किया है और पठनीयता के लिए उपयुक्त पंक्तियाँ जोड़ी हैं।

16.
चित्रकार

समृद्धीलाल जी बहुत बड़े सोने-चाँदी के व्यापारी थे। धन-दौलत की कोई कमी नहीं थी। दान-पुण्य भी बहुत किया करते थे। उनकी पत्नी भी उनके इस काम में सहयोग किया करती थीं।

लेकिन सेठजी में एक आदत थी। कोई भी काम की शुरुआत वह प्रतियोगिता से करते थे, चाहे गहने बनवाना हो या मकान, मंदिर, धर्मशाला। जो सबसे अच्छा कारीगर होता उसे ठेका दे दिया करते थे।

एक दिन उनके बड़े सुपुत्र का ब्याह तय हो गया। उनके दिमाग में विचार आया कि अपने बेटे और होने वाली बहू को शादी के तोहफे में एक शानदार कोठी दें, ताकि वह अपने शादीशुदा जीवन की शुरूआत नए घर से करें।

लेकिन प्रतियोगिता संपन्न होने तक किसी को कानों-कान खबर नहीं होती थी कि सेठजी आखिर चाहते क्या हैं। उन्होंने प्रदेश के प्रमुख समाचार पत्रों एवं टेलीविज़न के माध्यम से प्रतियोगिता की तारीख तय कर विज्ञापन दे दिया। प्रतियोगिता में भाग लेने वाले चित्रकारों के रहने-खाने की दो दिनों के लिए धर्मशाला में व्यवस्था करवा दी थी। प्रतियोगिता में अभी दो महीने बाकी थे, सेठजी निश्चिंत होकर अपने रोजमर्रा के कामों में व्यस्त हो जाते थे। काम के चक्कर में उन्हें एक शहर से दूसरे शहर जाना-आना पड़ता था। वह हमेशा ड्राइवर के साथ अपनी कार से सफर किया करते थे।

एक दिन अपने व्यापार के काम से किसी शहर की ओर जा रहे थे। उन्होंने देखा

रास्ते से कुछ दूरी पर दिखने वाले पहाड़ों की चट्टानों पर बहुत सुंदर-सुंदर चित्रकारी की गई है। सेठजी ने गाड़ी रुकवाई और पैदल चलते हुए बड़ी-बड़ी चट्टानों के पास पहुंच गए। दूर से चित्र इतने अच्छे लग रहे थे। जब पास जाकर चित्रकारी देखी तो दंग रह गए। जीवन में इतनी सुंदर चित्रकारी उन्होंने कभी देखी नहीं थी। इच्छा तो ऐसी हो रही थी कि इस पोस्टर को अपने शहर ले चलें और नई कोठी में चित्रकारी का काम इसे दे दें।

लेकिन इधर वे प्रतियोगिता का ऐलान कर चुके थे और दूसरा उन्हें यह नहीं मालूम था कि पत्थरों पर चित्रकारी किसने की है, क्योंकि वहां जंगल में दूर-दूर तक कोई भी इंसान नजर नहीं आ रहा था। लेकिन उन्हें अंदाजा तो लग गया था कि चित्रकार यहीं आस-पास के गांव का ही होगा। सेठजी ने यहीं पास के गांव में रात गुजारने का फैसला कर लिया। अगर रुकने की व्यवस्था नहीं हुई तो कार में सो जाएंगे, शायद गांव में चित्रकार का कोई पता मिल जाए।

वापस आकर कार में बैठ गए। पानी वगैरह पीकर थोड़ी सुस्ताने लगे। ड्राइवर भी जब तक कार के कांच साफ करने लगा, तभी एक लकड़हारा लकड़ी का गट्ठा सिर पर रखकर आता हुआ दिखाई दिया। सेठजी ने सोचा इससे पूछकर देखते हैं, शायद कोई जानकारी मिल जाए। सेठजी को यह बात अच्छी तरह मालूम थी कि गांव के भोले-भाले लोग प्यार और सम्मान के भूखे होते हैं और दिल से अमीर होते हैं। सेठजी कार से उतरकर खड़े हो गए। लकड़हारे के पास आने पर "राम-राम भैया" बोले।

लकड़हारे ने इतनी महंगी कार वाले सेठजी को राम-राम करते देख घबरा गया, लेकिन उसके मुंह से भी "राम-राम साहब" निकल ही गया। सेठजी बोले, "और भैया कहां जा रहे हो?" वह बोला, "सेठ जी, जंगल से लकड़ी काटकर ला रहा हूं और अपने गांव जा रहा हूं। चार-पांच मील पर मेरा गांव है।" सेठजी बोले, "अच्छा भैया, एक बात बताओ, यह पत्थरों पर पेंटिंग किसने की है?"

"साहब, ये तो सिलावट, पास के गांव में रहता है। उसका अनपढ़ छोरा, मन्नु, ये काम करता रहता है।"

"भैया का काम फर्शियों का काम करते हैं जो मकान की छत डालने के काम

आती हैं। मन्नु बचपन से पढ़ने-लिखने में कमजोर और मंदबुद्धि का लड़का है। उनके परिवार में दो लड़के और एक बिटिया है, जो काफी होशियार हैं। मन्नु के गांव जाकर आपको उसकी कला के बारे में ज्यादा अच्छे से जानकारी मिल जाएगी और आंखों से देख भी लोगे और उससे मुलाकात भी हो जाएगी।"

सेठजी कहने लगे, "उसका गांव कितनी दूर है?" लकड़हारा बोला, "हमारे गांव से दो मील दूर है।" सेठजी बोले, "वहां तक हमारी गाड़ी चली जाएगी?" "हां-हां, ट्रैक्टर ट्राली जाने का कच्चा रास्ता है।" सेठजी बोले, "आप हमारे साथ कार में चलो, हमें गांव का रास्ता बता देना।" "सेठ जी, मेरा लकड़ी का गट्ठा नहीं आ पाएगा आपकी कार में।" "अरे, उसकी चिंता तुम छोड़ दो," उन्होंने ड्राइवर को आवाज देकर बोले, "डिग्गी में से नायलोन की रस्सी बुलवा कर गट्ठा कार की छत पर बंधवा दिया।"

सेठजी बोले, "आओ चलें।" दोनों पीछे कार में बैठ गए। कार गांव की ओर चल पड़ी। रास्ते में सेठजी ने लकड़हारे भैया से पूछा, "उस गांव में रात बिताने के लिए कोई धर्मशाला मिल जाएगी?" "नहीं सेठ जी, गांव के स्कूल में एक कमरा खाली रहता है। वहां पर चुनाव के समय कोई नेता वोट मांगने आता है और गरीब की रोटी खाना चाहता है, तो वह और उसके छुटभैये नेता वहां रुक जाते हैं। खाना तो गांव में कोई खिला देता है, क्योंकि गांव के लोग बड़े दिल वाले होते हैं।"

बातों-बातों में लकड़हारे भैया का गांव आ गया। चौपाल के पास भैया का घर था। उन्होंने कार रुकवाकर सेठजी से बोले, "मैं अपने घर लकड़ी का गट्ठा रखकर आपके साथ चलता हूं। फिर मैं वापस आ जाऊंगा। उस गांव में मैं कभी-कभी लकड़ी बेचने जाता हूं। उस गांव में बहुत से लोग मुझे पहचानते हैं।" सेठजी बोले, "हां-हां चलो।" कार मन्नु के गांव की ओर बढ़ चली। दस मिनट के बाद गांव की सीमा के अंदर घुस गई। सेठजी ने देखा गांव के हर मकानों पर बहुत शानदार तरीके से चित्रकारी की गई थी, जो गांव की सुंदरता बढ़ा रही थी।

धन्नु सिलावट अपने घर के सामने इतनी बड़ी कार रुकते देखकर दौड़कर घर से हाथ जोड़कर घर से बाहर निकला। उसे लगा कि कोई बड़ा सरकारी अफसर आया है। लेकिन नेतराम लकड़हारे को कार से उतरते देखकर पूछा, "नेतराम, कैसे आना हुआ?" नेतराम बोला, "शहर से सेठ जी मन्नु से मिलने आए हैं।" धन्नु बोला, "सेठ

जी, हमारे मन्नु से कोई गलती हो गई क्या? वह तो दिन भर आस-पास के गांव में घूमता रहता है। शहर तो कभी यह गया ही नहीं।"

सेठजी बोले, "नहीं-नहीं भैया, हमने रोड के पास पत्थरों पर सुंदर चित्रकारी देखी। पता किया किसने बनाई है तो नेतराम जी ने मन्नु का नाम बताया, तो मैं मिलने चला आया।"

तब सब लोग घर के आंगन में आ गए। धन्नु ने खाट बिछाकर उस पर चटाई डाल दी। सेठजी बैठ गए, बाकी सब लोग नीचे बैठ गए। धन्नु ने आवाज लगाई, "टुनन‍ु बेटा, चार गिलास पानी ले आओ और अम्मा से बोलो अच्छी चाय बनाएं।" थोड़ी देर बाद टुननु चार गिलास पानी ले आया। धन्नु बोला, "यह मन्नु का लड़का है, जो अभी चौथी में पढ़ रहा है।" टुननु ने पानी देकर, "दादाजी प्रणाम," बोला और अंदर दौड़ लगा दी। सभी हंसने लगे।

धन्नु बोला, "मन्नु यही गांव में नया मकान बन रहा है, वहां पुताई करने गया है। आस-पास के गांव के लोग भी उसको पुताई के लिए बुलवा लेते हैं। खाना वगैरह देकर उसे पैसे भी देते हैं, जो हमारे घर चलाने के काम आ जाते हैं। ज्यादा पढ़ा लिखा नहीं है, बस थोड़ा बहुत हिसाब-किताब और नाम लिखना आ जाता है। अभी आता ही होगा।" जब तक चाय आ गई, सभी लोग चाय पीने लगे।

थोड़ी देर में मन्नु मैले कुचैले कपड़ों में एक झोला टांगे हुए आया। कुर्ता तो फटा हुआ था, जो उस परिवार की हालत बयान कर रहा था। इतनी बड़ी कार और घर पर मेहमानों को देखकर आश्चर्यचकित रह गया। सेठजी को देखकर राम-राम की और अपने पिताजी के पास बैठ गया। सेठजी बोले, "मन्नु, पेंटिंग तो बहुत अच्छी कर लेते हो, कहां से सीखा?" मन्नु के पिताजी बोले, "बस यही एक हुनर है इसमें, जिसे एक बार देख ले, उसका हु-ब-हू वैसा ही चित्र बना देता है और रंग भर देता है।" मन्नु बोला, "सेठजी, हमने कहीं सीखा नहीं, बस भैंसे चराने जंगल जाते थे तो वहां पत्थरों पर कोयले या चाक से चित्र बनाते रहते थे। धीरे-धीरे उसमें रंग भरना सीख गए। गांव के मास्टर साहब ने हमें चित्रकारी करते हुए देखा तो हमें ब्रश और रंग लाकर देते रहे, हम पत्थरों पर रंग भरते रहे।"

सेठजी बोले, "अच्छा, हमारा चित्र बना दोगे?" "हां-हां, सेठजी, जरूर बना देंगे।"

"ठीक है, यहां रात गुजारने के लिए कोई कमरा मिल जाएगा?" धन्नु बोला, "हां सेठ जी, स्कूल में एक कमरा है, वहां आप आराम करिए। हम आपके खाने की व्यवस्था करते हैं।" शाम के सात बज चुके थे। नेतराम ने सेठजी से बोला, "सेठजी, मैं चलता हूं।" लेकिन सेठजी ने ड्राइवर से बोलकर नेतराम को घर छुड़वा दिया।

सेठजी मन्नु से बोले, "आज तो हम थके हुए हैं, कल सुबह हमारा फोटो बना दोगे।" "हां, सेठजी।" खाना खाकर रात दस बजे तक स्कूल के कमरे में सेठजी और ड्राइवर सोने चले गए।

सुबह जल्दी नहा-धोकर सेठजी और ड्राइवर तैयार हो गए, जब तक मन्नु चाय और अपना पेंटिंग का सामान और कागज लेकर आ गया। सेठजी को मास्टर की कुर्सी पर बैठने को कहा और मन्नु चित्र बनाने लगा। लगभग एक घंटे बाद मन्नु ने सेठजी का हु-ब-हू फोटो बना दिया। फोटो देखकर सेठजी का खुशी का ठिकाना नहीं रहा। मन्नु को इनाम में 500/- रुपए दिए और प्रतियोगिता में आने का निमंत्रण देकर कहने लगे, "प्रतियोगिता के एक दिन पहले हम गाड़ी भेज देंगे, तुम जरूर प्रतियोगिता में भाग लेना।"

मन्नु बोला, "सेठजी, मैं कहां अनपढ़ गंवार छोटा आदमी?" सेठजी बोले, "वहां बहुत बड़े-बड़े चित्रकार आएंगे। तुम्हें हम अपनी गाड़ी से घर भी छुड़वा देंगे। खाने पीने और रुकने की सब व्यवस्था हमारी तरफ से रहेगी। तुम और तुम्हारे पिताजी और टुनन‌ु, दो दिन हमारे मेहमान रहोगे। अगले महीने की 20 तारीख को प्रतियोगिता रखी है और इनाम भी 40,000 रुपए का है।" सेठजी फिर अपने काम पर अगले शहर के लिए निकल गए।

इधर मन्नु के गांव में प्रतियोगिता वाली खबर आग की तरह फैल गई। आस-पास के गांव में भी पता चल गया कि मन्नु को शहर से प्रतियोगिता में भाग लेने के लिए निमंत्रण आया है। धीरे-धीरे समय का पहिया घूमता रहा। मन्नु ने प्रतियोगिता वाली तारीख दीवार पर लिख रखी थी। गांववाले भी अब मन्नु को सम्मान देने लगे

थे। जैसे-जैसे तारीख पास आ रही थी, वैसे-वैसे मन्नु कड़ी मेहनत करके चित्रकारी कर रहा था। दिन-ब-दिन उसकी चित्रकारी में निखार आता जा रहा था। पत्थर और दीवार पर बनी मन्नु की चित्रकारी से नजरें नहीं हटती थीं।

आखिर वह दिन आ ही गया जिसका मन्नु को बेसब्री से इंतजार था। मन्नु, टुनन्नु और पिताजी तीनों सवेरे जल्दी उठकर नहा-धोकर तैयार हो गए थे। ठीक ग्यारह बजे घर के सामने गाड़ी आकर रुकी। थोड़ी देर बाद तीनों गाड़ी में बैठने लगे, तो गांव के लोगों ने आकर आशीर्वाद और रास्ते में खाने के लिए कुछ न कुछ बांध दिया था। मन्नु के पिताजी और मन्नु ने गांव के बुजुर्गों के पैर छूकर आशीर्वाद लिया। सभी दोस्तों को राम-राम कहकर कार में बैठ गए। तीनों जिंदगी में पहली बार कार में बैठे थे। टुनन्नु तीसरी वाली सीट पर बैठ गया था और ड्राइवर साहब से मजेदार बातें करता जा रहा था।

शाम को सात बजे सेठजी की धर्मशाला में गाड़ी रुकी। सेठजी हर आने वाले मेहमान का स्वागत फूल के गुलदस्ते देकर कर रहे थे। सबको उनके रुकने के स्थान बता रहे थे। प्रदेश से बड़े-बड़े चित्रकार भी पधारे थे। मन्नु के परिवार को भी सेठजी ने कमरा दिखा दिया। सारे नौकर-चाकर मेहमानों की सेवा में लग गए थे। सेठजी का कहना था, "उन्हें किसी भी तरह की परेशानी नहीं होना चाहिए, ये हमारे मेहमान हैं।"

कल आठ बजे सुबह से प्रतियोगिता प्रारंभ होने वाली थी। सभी सफर के थके-हारे थे, खा-पीकर सो गए। दूसरे दिन स्कूल के ग्राउंड में प्रतियोगिता का आयोजन किया गया। प्रदेश के कोने-कोने से 55 प्रतियोगी आए थे। सभी एक से बड़े एक चित्रकार थे और अपने कारों से आए थे। केवल मन्नु को छोड़कर। ग्राउंड में छोटे-छोटे तंबू लगाकर उनके आगे रस्सी का घेरा बना दिया गया था कि कोई चित्रकार के पास तक न जा पाए। वैसे भी वहां तक जाने की किसी को इजाजत नहीं थी, प्रतियोगिता खत्म होने तक।

ठीक सात बजे तक सारे प्रतियोगी ग्राउंड पर इकट्ठे हो गए। सब एक दूसरे को देख रहे थे। मन्नु को देखकर बाकी लोग समझ रहे थे ये सेठजी का नौकर है जो साफ-सफाई के लिए रखा है। सेठजी ने सभी प्रतियोगी को पानी की बोतल और एक नंबर दिया जिस पर उनके नंबर डला हुआ था। सेठजी का मुनीम रजिस्टर में सबका नाम

और पता नोट कर रहा था। सेठजी ने साथ में एक-एक कागज की सफेद बड़ी शीट भी देते जा रहे थे जिस पर उन्हें चित्रकारी करना थी। प्रतियोगिता का समय 4 घंटे का था। सुबह ठीक आठ बजे प्रतियोगिता प्रारंभ हो गई थी।

समय बीतने लगा। बारह बजे तक ग्राउंड पूरा भर चुका था। सेठजी ने पांच जज भी बुलाए थे जो प्रतियोगिता में सबसे अच्छी पेंटिंग का चुनाव करने वाले थे। शाम पांच बजे रिजल्ट का समय तय किया गया था। बारह बजे प्रतियोगिता का समापन हो गया था। उसके बाद सारे प्रतियोगी का सेठजी की तरफ से शानदार भोज का आयोजन रखा गया था, सो सारे प्रतियोगी अपनी-अपनी शीट नियत स्थान पर जमा कर खाना खाने चले गए। बाकी लोग भी रिजल्ट सुनने के लिए शाम को वापस आने का कहकर घर चले गए थे। सेठजी का शहर में अच्छा खासा नाम था इसलिए शाम चार बजे से पब्लिक का आना चालू हो गया था। ग्राउंड खचाखच भर चुका था। शहर के जाने-माने रईस लोग भी सेठजी के आमंत्रण पर वहां आ गए थे। सेठजी का परिवार एवं रिश्तेदार भी वहां सवेरे से व्यवस्था में लगे हुए थे।

ग्राउंड में बड़ी सी टेबल पर तीन साइज़ की चमचमाती हुई शील्डें रखी हुई थी, जो प्रथम, द्वितीय और तृतीय पुरस्कार स्वरूप दी जाना थीं। प्रतियोगियों के बैठने की व्यवस्था अलग से की गई थी। मन्नु सबसे पीछे एक कोने में पड़ी कुर्सी पर जाकर बैठ गया था। कुछ ही क्षणों में फैसला आने वाला था। काफी शोर-गुल मचा हुआ था, ऐसा लग रहा था जैसे कोई मेला लगा हो। रिजल्ट की घोषणा प्रभारी मंत्रीजी द्वारा की जाना थी, जो कुछ देर पहले ही स्थल पर पहुंच चुके थे। दूसरी तरफ सेठजी ने दो माह पहले कोठी का काम भी चालू करवा दिया था, जो आधे से ज्यादा बन चुकी थी।

सर्वप्रथम तीसरे इनाम की घोषणा हुई। तालियों से चित्रकार का स्वागत किया गया। सेठजी ने माला पहना कर और मंत्रीजी ने शील्ड प्रदान की। इस तरह दूसरे नाम की घोषणा भी कर दी गई थी। अब पहले नाम की बारी थी। बचे हुए प्रतियोगी की दिल की धड़कनें बढ़ गई थीं, केवल मन्नु को छोड़कर क्योंकि उसने जीवन में कभी यह नजारा देखा ही नहीं था।

सेठजी ने माइक लेकर बोलना शुरू किया कि सारे प्रतियोगी द्वारा बनाए गए चित्र काफी खूबसूरत हैं, लेकिन प्रतियोगिता के नियमानुसार पहले स्थान आने वाले

प्रतियोगी का नाम मंत्रीजी को माइक देकर बता दिया। मंत्रीजी ने मन्नु सिलावट के नाम की घोषणा करते ही पूरा ग्राउंड तालियों की गड़गड़ाहट से गूंजने लगा। सभी जानने के इच्छुक थे कि यह मन्नु कौन है। मन्नु के पिताजी की आंखों में खुशी के आंसू बहने लगे। सारे प्रतियोगी देखने लगे ये बड़ा चित्रकार कौन है जिसे हमने आज तक नहीं देखा। मन्नु जैसे ही स्टेज पर पहुंचा, सेठजी ने गले लगाकर उसका स्वागत किया और माला पहनाकर मंत्रीजी ने बड़ी शील्ड मन्नु के हाथों में दी। फोटोग्राफर और मीडिया वालों के कैमरे धड़ाधड़ चमकने लगे। ये खबर दूसरे दिन अखबार, टेलीविज़न में प्रसारित होने वाली थी। सेठजी ने मन्नु को 40,000/- का चेक प्रदान किया। बाकी सभी प्रतियोगी को एक-एक मेडल और प्रशंसनीय पत्र देकर विदा किया। शाम के सात बज चुके थे। सेठजी मन्नु को कोठी दिखाने ले गए जिस पर उसे चित्रकारी करना थी। मन्नु से कहा, "एक माह बाद हम तुम्हें लेने के लिए गाड़ी भेज देंगे। जब तक कोठी बन नहीं जाती, तब तक तुम हमारे मेहमान रहोगे।" मन्नु ने हामी भर दी।

दोपहर में सेठजी ने मन्नु को गाड़ी से घर छुड़वा दिया। मन्नु की जीत की खबर गांव में पहले लग चुकी थी, सो गांव के लोगों ने मन्नु का गांव पहुंचने पर भव्य स्वागत किया। मन्नु इनाम और सम्मान पाकर बहुत खुश था, साथ ही साथ एक दुख भी था, एक माह बाद गांव छोड़ने का। लेकिन मन्नु की भलाई इसी में थी कि वह मिले मौके का फायदा उठाकर अपना और अपने गांव का नाम रोशन करे। मन्नु ने सेठजी की कोठी में अपना पूरा हुनर दिखा दिया। जो भी कोठी देखने आता, दांतों तले उंगली दबा लेता। इसके साथ ही मन्नु को शहर में काम मिलना चालू हो गया। गांव का मन्नु अब मगनलाल बन चुका था। सेठजी ने 2 लाख रुपए मेहनताना और एक मकान किराये से दिलवा दिया। गुदड़ी का लाल अब शहर की आंखों का तारा बन गया था।

17.
डॉक्टर साहब

ज्ञान देने वाले की उम्र नहीं देखी जाती है।

डॉक्टर साहब अपने असिस्टेंट डॉक्टर को काम समझा कर घर जाने की तैयारी कर रहे थे। दोपहर को लंच का वक़्त हो रहा था और घर से मैडम का फोन आ गया था कि आते वक़्त मेथी की गड्डी लेते आना। डॉक्टर साहब ने पार्किंग में आकर नई चमचमाती कार और पलटकर अपने हॉस्पिटल की नई बिल्डिंग को देखा। तभी ड्राइवर ने कार बाहर निकाली और डॉक्टर साहब उसमें बैठ गए। लगभग पांच साल पहले यहां डॉक्टर का छोटा सा क्लीनिक हुआ करता था, जो आज शानदार हॉस्पिटल में बदल गया।

डॉक्टर साहब ड्राइवर से बोले, "यार सब्जी मार्केट की तरफ चलें, चलो।" "जी सर।" थोड़ी देर में कार सब्जी मार्केट के पास आकर रुकी। डॉक्टर साहब सब्जी मार्केट में घुस गए, जहां लोग चिल्ला-चिल्ला कर अपनी सब्जियां बेच रहे थे। चलते-चलते डॉक्टर साहब एक जगह रुक गए, जहां एक आठ-दस साल की बालिका मेथी की गड्डी बीस रुपए कहकर आवाज लगा रही थी। हालांकि उसकी जान की आवाज सब्जी मार्केट के शोरगुल में गुम हो जाती थी, लेकिन उसके पास मेथी की गड्डी एकदम ताजी थी। डॉक्टर साहब ने उसके पास जाकर पूछा, "बेटा, क्या भाव है मेथी?" लड़की बोली, "20 रुपए गड्डी।" डॉक्टर साहब बोले, "ठीक-ठाक लगाओ और एक दे दो।" लड़की कहने लगी, "नहीं साहब, उससे कम में नहीं पड़ पाएगी।" डॉक्टर साहब ने कहा, "15 रुपए की एक गड्डी लगा लो।" लड़की बोली, "नहीं।"

डॉक्टर साहब आगे बढ़ने लगे। लेकिन लड़की ने पता नहीं क्या सोचकर आवाज दी और डॉक्टर साहब वापस आ गए। लड़की ने उनका पहनावा देखकर पूछा, "आप डॉक्टर साहब हैं न?" डॉक्टर साहब खुशी-खुशी बोले, "हां, मैं एक डॉक्टर हूं, पास ही मेरा हॉस्पिटल है।" फिर लड़की बोली, "आप 20 रुपए में दो गड्डी रख लीजिए, क्योंकि आप गरीबों की मदद करते हैं ना?" डॉक्टर साहब ने बगैर जवाब दिए 20 रुपए निकाल कर लड़की को दिए और मेथी की गड्डी लेकर वापस कार में आकर बैठ गए। कार बंगले की ओर चल पड़ी। थोड़ी देर बाद कार बंगले की पार्किंग में आकर रुकी। कार की आवाज सुनकर नौकर दौड़ता हुआ आया और मेथी की थैली और डॉक्टर साहब भी उतरकर आलीशान बंगले में घुस गए। लगभग छह माह पहले ही डॉक्टर साहब ने यह बंगला खरीदा था, पहले श्री बी.एच.के. वाले फ्लैट में रहा करते थे। डॉक्टर साहब अंदर आकर हाथ-मुंह धोकर ड्राइंग रूम में बैठकर टी.वी. चालू कर समाचार देखने लगे। सब्जी मार्केट से आने के बाद वे कुछ परेशान से लग रहे थे। रह-रहकर उन्हें वह नन्ही सी लड़की वाली बात दिमाग में घूमे जा रही थी कि "आप गरीबों की मदद करते हैं ना?" तभी मैडम की आवाज आई, "डॉक्टर साहब, खाना लग गया है।" डॉक्टर साहब टी.वी. बंद कर डाइनिंग रूम में आ गए। जैसे-तैसे खाना खाकर आराम करने चले गए, क्योंकि शाम को फिर हॉस्पिटल जाना था। पत्नी ने पूछा भी कि आज आपने खाना ढंग से नहीं खाया, तो कहने लगे, "भूख नहीं है।" "अच्छा, रात में मेथी के पराठे बनाऊंगी, जल्दी आ जाना।" डॉक्टर साहब बोले, "ठीक है।"

शाम को चाय पीकर हॉस्पिटल चले गए। लेकिन आज डॉक्टर साहब का मन काम में नहीं लग रहा था। मन में बार-बार एक ही विचार आ रहा था कि फिर एक बार उस लड़की से जाकर मिलूं।

दूसरे दिन डॉक्टर साहब दोपहर में हॉस्पिटल से निकलकर ड्राइवर को बोले, "सब्जी मार्केट चलो।" कार से उतर कर डॉक्टर साहब उसी जगह पहुंच गए, जहां वह लड़की से मेथी की गड्डी खरीदी थी। लेकिन वो वहां नहीं मिली। उस दिन वापस घर आ गए। हफ्ते भर तक डॉक्टर साहब रोज उस लड़की को देखने जाने लगे। कुछ सब्जी वाले भी डॉक्टर साहब को पहचानते थे कि इतने बड़े डॉक्टर यहां रोज आते हैं और खाली हाथ लौट जाते हैं। डॉक्टर साहब ने आखिर एक दिन वहां पड़ोस में बैठे

सब्जी वाले से पूछ ही लिया कि यहां पिछले इतवार को एक छोटी सी लड़की मेथी की गड्डी बेच रही थी, आजकल वह दिख नहीं रही है। पड़ोस में बैठा सब्जी वाला बोला, "साहब, कहीं आप बिन्नी की बात तो नहीं कर रहे हैं?" "यार, हमें उसका नाम तो नहीं मालूम, लेकिन वो यहीं बैठी थी।" "हां डॉक्टर साहब, वो बिन्नी ही है, अपने बड़े भाई के साथ सब्जी बेचने आती है। वो हमेशा तो नहीं आती थी, उसका भाई जरूर आता है, लेकिन इस हफ्ते वो भी नहीं आया। ऐसा पता चला है कि उसके पापा की तबीयत खराब है जो घर पर ही हैं। यहां पास ही में झोपड़ पट्टी में रहते हैं।"

इधर डॉक्टर साहब की बेचैनी बढ़ती जा रही थी। उन्होंने सब्जी वाले भैया से कहा, "यदि आप उनका घर जानते हो तो हमें वहां पहुंचा दो।" भैया ने अपने लड़के से कहा, "तू दुकान पर बैठ, मैं डॉक्टर साहब के साथ जा रहा हूं।" दोनों कार में बैठ गए। कार झोपड़ पट्टी की ओर बढ़ चली। सक्रे रास्ते होने के कारण भैया बोला, "डॉक्टर साहब, आपकी बड़ी गाड़ी अंदर नहीं जा पाएगी।" डॉक्टर साहब बोले, "कोई बात नहीं, अपन लोग पैदल ही चलते हैं।" ड्राइवर को गाड़ी के पास रहने का बोलकर दोनों एक छोटी गली की ओर चल पड़े। चलते-चलते एक झुग्गी के बाहर रुककर भैया ने "बिन्नी-बिन्नी" कहकर आवाज लगाई। थोड़ी देर में वह लड़की बाहर आई। डॉक्टर साहब को देखकर पहचान गई। डॉक्टर साहब से नमस्ते बोली। डॉक्टर साहब बिन्नी को देखकर खुश हो गए। पूछने लगे, "बेटा, तुम सब्जी की दुकान क्यों नहीं लगा रही हो?" तो वह रोने लगी। तभी उसका बड़ा भाई और मां निकल कर बाहर आए। बड़े भाई ने डॉक्टर साहब को बताया कि पापा का बुखार नहीं उतर रहा है और उन्हें कमजोरी आ गई है। इतना सुनते ही डॉक्टर साहब झोपड़ी में अंदर गए तो देखा कि खटिया पर एक अधेड़ उम्र का व्यक्ति गोदड़ी ओढ़कर लेटा है। बिन्नी का भाई बोला, "डॉक्टर साहब आपको देखने आए हैं।" उन्होंने हाथ जोड़कर नमस्कार किया। डॉक्टर साहब आला और थर्मामीटर लगा कर बुखार चेक किया। फिर बाहर अम्मा से बोले, "इनको भर्ती करना पड़ेगा।" बिन्नी की मां बोली, "हमारे पास इतने पैसे नहीं हैं। हम तो दुकान से दवा-गोली लाकर दे रहे हैं, फिर भी बुखार नहीं जा रहा है।" डॉक्टर साहब बोले, "पैसे की चिंता आप लोग बिल्कुल मत करो। अच्छा इलाज मिलने पर यह चार-पांच दिन में बिन्नी के पापा बिल्कुल ठीक हो जाएंगे।"

"मैं अभी एंबुलेंस बुलवा रहा हूं। आप लोग इनको लेकर हॉस्पिटल आ जाना।"

डॉक्टर साहब ने अपने हॉस्पिटल से एंबुलेंस बुलवा ली। आगे-आगे डॉक्टर साहब की गाड़ी, पीछे-पीछे एंबुलेंस हॉस्पिटल में आकर रुकी। डॉक्टर साहब ने बिन्नी के पापा को भर्ती करवा कर पूरे चेकअप किए और दवाई-गोली हॉस्पिटल से ही दे दी। बिन्नी पापा के पास खड़े होकर देख रही थी। उसके समझ में नहीं आ रहा था कि इतना साफ सुथरे कमरे और बेड पर पापा कैसे लेटे हैं। दूसरे दिन से पापा ने धीरे-धीरे खाना चालू कर दिया। उनके लिए हॉस्पिटल के स्टाफ के लोग फल-फ्रूट और अन्य खाने की चीजें समय-समय पर देने लगे। दवाइयां भी नर्स आकर दे जाती थी।

तीसरे दिन पापा धीरे-धीरे कमरे में थोड़ा-थोड़ा चलने लग गए। रोज डॉक्टर साहब खुद आकर चेकअप किया करते थे। एक दिन डॉक्टर साहब ने बिन्नी और उसके भाई को अपने कमरे में बुलाकर पूछा कि, "तुम्हारे पापा क्या करते हैं?" बिन्नी बोली, "हमारे पापा बिल्डर के यहां मिस्त्री का काम करते हैं, मां घरों में बर्तन मांजने जाती है और हम लोग सरकारी स्कूल में पढ़ते हैं। लेकिन जब से कोरोना के कारण लॉकडाउन लगा तो हमारे परिवार में खाने के लाले पड़ गए। सरकार की तरफ से राशन पानी आता, उसी से घर चलता था। इसलिए हम दोनों भाई-बहन सब्जी बेचकर जरूरत का सामान जुटा लेते थे। किराने वाले ने भी उधार देना बंद कर दिया। जब से पापा की तबीयत खराब हुई, इस कारण हम पापा का इलाज नहीं करा पा रहे थे।"

डॉक्टर साहब बोले, "पापा दो-तीन दिनों में ठीक होकर घर जा सकते हैं। जब तक पूरी तरह ठीक नहीं होंगे, ये हमारे मेहमान रहेंगे। तुम लोग अब किसी बात की चिंता नहीं करना, पढ़ाई पर ध्यान देना, सब ठीक हो जाएगा।" बहन-भाई दोनों खुश हो गए।

आज बिन्नी के पापा की हॉस्पिटल से छुट्टी होने वाली थी। पूरा परिवार बहुत खुश था। दोपहर बारह बजे डॉक्टर साहब ने पापा का चेकअप किया। कुछ टॉनिक और पांच दिन की गोलियों घर पर खाने के लिए दे दी। और, "40 दिन बाद आप अपने काम पर जा सकते हो।" ऐसा कहकर डॉ. साहब ने हॉस्पिटल की कार से बिन्नी के परिवार को घर छोड़कर आने को कहा। तभी अम्मा ने पूछा, "डॉक्टर साहब आपकी फीस?" डॉक्टर साहब हंसते हुए बिन्नी के सिर पर प्यार से हाथ फेरा और बोले, "हमें हमारी फीस के रूप में बिन्नी जैसा गुरु मिल गया। यह आज से हमारी दोस्त है।

इसलिए कोई फीस नहीं।" बिन्नी को छोड़कर पूरे परिवार ने डॉक्टर साहब के पैर छुए। डॉक्टर साहब बोले, "40 दिन बाद आकर दिखा देना और हां, बिन्नी को साथ जरूर लाना।" सभी हंसने लगे और खुशी-खुशी घर लौट गए।

इधर डॉक्टर साहब के चेहरे पर वापस रौनक आ गई। उन्हें नई गाड़ी, बंगला और हॉस्पिटल बनने के बाद इतनी खुशी नहीं मिली थी, जो आज बिन्नी के पापा का फ्री में इलाज कर मिली थी। डॉक्टर साहब ने मैनेजर को बुलाकर एक बोर्ड बनवाने को कहा, "यहां गरीबों का इलाज मुफ्त किया जाता है।" दूसरे दिन हॉस्पिटल के बाहर बड़ा सा बोर्ड लग गया। पांच दिन बाद डॉक्टर साहब बिन्नी के घर पहुंच गए। बिन्नी बाहर ही खेल रही थी। डॉक्टर साहब बिन्नी से बोले, "तुम लोग किराना कहां से लेते हो? हमें दुकान बता दो।" बिन्नी बोली, "चलो अंकल, मैं बता देती हूं।" बिन्नी का भाई सोच में पड़ गया कि डॉक्टर साहब किराने की दुकान क्यों पूछ रहे हैं। दुकान पर पहुंचने पर दुकानदार, जो डॉक्टर साहब को अच्छी तरह पहचानता था, हाथ जोड़कर खड़ा हो गया। डॉ. साहब ने बिन्नी की उधारी पूछी तो वह घबराकर कापी में लिखा पैसे बताने लगा। बोला, "डॉक्टर साहब, 2800/- रुपए हुए हैं।" डॉक्टर साहब ने पर्स निकाला और 5000/- रुपए दुकानदार के हाथ में रख दिए। और बोले, "महीने भर का किराना बिन्नी के यहां भिजवा देना और शाम को बकाया बिल मेरे हॉस्पिटल आकर ले जाना।" डॉक्टर साहब को आश्चर्य से देखते हुए दुकानदार बोला, "जी डॉक्टर साहब।" "और सुनो, झोपड़ी पट्टी में कोई भी बीमार लाचार हो तो मेरे हॉस्पिटल का पता दे देना। वैसे महीने में एक बार मेरे दो डॉक्टर यहां दोपहर में आकर बैठा करेंगे और इलाज की फीस नहीं लगेगी, फ्री में सबका इलाज होगा।" "अच्छा बिन्नी, चलो, तुम्हारे घर चलते हैं।" घर पहुंचने पर बिन्नी के मम्मी-पापा बाहर ही खड़े थे। डॉक्टर साहब मम्मी से बोले, "यह 5000/- रुपए रखो, यह तुम्हारे काम आएंगे। और जब बिन्नी के पापा ठीक हो जाएं तो तुम हॉस्पिटल आ जाना, हम तुम्हें हॉस्पिटल में साफ-सफाई के लिए नौकरी पर रख लेंगे।" "बिन्नी और उसके भाई का पढ़ाई का सारा खर्च हम अलग से देंगे हर साल।" और बहन-भाई दोनों से बोले, "अब तुम लोग सब्जी की दुकान नहीं लगाना और मन लगाकर पढ़ाई करना।"

दिन बीतने लगे। बिन्नी के पापा फिर काम पर जाने लगे। उसकी मम्मी को भी हॉस्पिटल में नौकरी लग गई। पूरा परिवार फिर हंसी-खुशी जीवन बिताने लगा।

लेकिन डॉक्टर साहब को यह मदद करके जो खुशी मिली, वह खुद शब्दों में बयान नहीं कर सकते थे। लेकिन गरीबों का इलाज फ्री करने से हॉस्पिटल का नाम चल निकला और दिन दूनी रात चौगनी तरक्की होने लगी। बिन्नी भी हॉस्पिटल की सदस्य जैसी हो गई थी। महीने में एक बार डॉक्टर साहब से मिलने अम्मा के साथ चली जाती थी। हॉस्पिटल का पूरा स्टाफ बिन्नी को पहचानने लगा था। सभी प्यार से बिन्नी दीदी कहकर बुलाते थे। बिन्नी भी सभी से खूब बातें किया करती थी।

इधर डॉक्टर साहब को समझ में आ गया था कि पैसा ही सब कुछ नहीं है दुनिया में। उन्होंने सपने में भी नहीं सोचा था कि इतनी छोटी लड़की उनका हृदय परिवर्तन कर देगी। किसी विद्वान ने सही कहा है, "बांटोगे तो बढ़ेगा, बचाओगे तो घटेगा।"

18.

टूटा हुआ मटका

सुनीताजी सुबह-सुबह बड़बड़ाती और हंसती हुई कि ये छोटी वाली बिटिया बहुत शैतान होती जा रही है। अच्छा-भला मटका तोड़ दिया। डस्टबिन मकान मालकिन को देख और उनकी बातें सुन रहा था। इतनी देर में मटका अपने बाकी टुकड़ों के साथ आकर गिरा। सुनीता जी के जाने के बाद डस्टबिन बोला, "मटका भैया, इस बार जल्दी आ गए।"

मटका भैया, "हां यार, क्या बताऊं। सुनीता दीदी ने नल आने पर मुझे नहला-धुला कर गैस पर रखा और आधी बाल्टी पानी डाला ही था कि गैस पर दूध उबलने की आवाज सुनाई दी। तो फौरन पानी भरते-भरते गैस बंद करने को मुड़ी, उतनी देर में गोल्डी जो एक साल की है, ठुमक-ठुमक करती हुई आई और हमको पकड़कर धक्का दे दिया। हम धम्म से गिरे और यह हाल हो गया। आवाज सुनकर सुनीता जी, 'अरे राम, मटका फोड़ दिया,' कहकर बड़ी बिटिया निक्की को आवाज लगाई, 'अरे बेटा, गोल्डी को आंगन में ले जाओ, देखो इसने मटका तोड़ दिया,' और होले-होले मुस्कुराने लगी। फिर पोछा लेकर पानी साफ कर मुझे उठाकर तुम्हारे पास छोड़ गई।"

डस्टबिन, "हां यार, चार-पांच साल में पहली बार आपको डस्टबिन में आया देखकर मुझे आश्चर्य हो रहा है। क्योंकि सुनीता जी तो पुराने मटके फेंकने के बजाय उसमें सुंदर-सुंदर पौधे लगा देती हैं।"

मटका भैया, "अब हम तो कोई काम के रहे नहीं, तो जहां से आए थे, वहीं चले जाएंगे, मतलब मिट्टी में मिल जाएंगे।" डस्टबिन, "हां भैया, यह बात है, लेकिन

आज संडे है, आज आपको दिन भर मेरे साथ रहकर बातचीत करनी पड़ेगी। कल सवेरे वाली गाड़ी से आप जा पाएंगे।" मटका भैया, "कोई बात नहीं। और सुनाओ भैया, अब आगे क्या करने का इरादा है?"

"क्या बताऊं भाई, आजकल के हालात देखकर दुनिया पर तरस आता है। आविष्कार पर आविष्कार किए जा रहे हैं। जैसे पानी का फ्रिज, पानी साफ करने की मशीन, इसमें हमारी उपयोगिता धीरे-धीरे कम होती जा रही है। प्लास्टिक की बोतलों में फ्रिज का ठंडा पानी पीकर शरीर को नुकसान पहुंचा रहे हैं। फ्रिज एक स्टेटस सिंबल हो गया है। हमारा पानी पीने वाले पुराने बुजुर्ग 70-80 साल की उम्र में भी तंदुरुस्त घूम रहे हैं। हमारे पानी की ठंडक किसी को नुकसान नहीं पहुंचाती थी। मटके का पानी सबसे शुद्ध और प्यास बुझाने वाला होता था। उसमें सारे विटामिन्स रहते थे। और आजकल पानी छानने वाली मशीन कीटाणु बाहर निकालने के साथ पानी के अच्छे मिनरल्स भी पानी से निकाल देती है और फिर लोग शान से प्लास्टिक की बोतलों में भरा पानी खरीद कर पीते हैं। पहले के जमाने में कहावत चलती थी, 'घाट-घाट का पानी पीने वाला ज्यादा तंदुरुस्त रहता था'।"

डस्टबिन, "अरे वाह मटका भैया, आज तो आप ने बहुत ही रोचक जानकारी दी है, मजा आ गया।" दूसरे दिन कचरा गाड़ी का गाना सुनाई देने लगा। मटका भैया डस्टबिन से बोले, "अच्छा भाई हम चलते हैं, अगले साल फिर मुलाकात होगी।" कचरा गाड़ी गेट पर आकर कचरा ले गई। प्लास्टिक का डस्टबिन सोचने लगा, "मटका भैया की किस्मत कितनी अच्छी है। अगले साल फिर आने का वादा करके जाते हैं और एक मैं हूं, एक बार टूटने के बाद हमेशा के लिए धरती पर बोझ बनकर पड़ा रहता हूं।" डस्टबिन में पड़ी पन्नियां भी हां में हां मिलाने लगीं, "सही बात है, हमसे तो मटका भैया अच्छे हैं।"

19.

सड़कें

सड़क नाम से तो आप सभी लोग परिचित होंगे, क्योंकि रोजमर्रा की दिनचर्या में इनकी अहम भूमिका होती है। यह एक ऐसी ही कॉलोनी की मुख्य सड़क की दुखभरी कहानी है।

दोपहर का समय था। मई महीने की चिलचिलाती धूप और गर्मी से बुरा हाल था। मुख्य सड़क होने के कारण सुबह से ही गाड़ियों का आना-जाना लगा रहता है और मैं लोगों को आते-जाते देखती रहती हूं। मुझे बने को छह माह भी नहीं हुए हैं और मैं उखड़कर बड़े-बड़े गड्डों में बदल गई हूं। गाड़ियां मेरे ऊपर से सांप सीढ़ी खेलते हुए अपने मुकाम तक पहुंच ही जाते हैं और भगवान का शुक्रिया अदा करते हैं।

मैंने देखा सामने से एक ट्रैक्टर महाशय अपनी ट्रॉली (वाइफ) के साथ मस्त चाल में चले आ रहे थे। उन्हें पास आते देखकर मैं गड्ढे भैया से बोली, "भैया, नए दुल्हा-दुल्हन आ रहे हैं, जरा बचा के निकाल देना।" गड्ढे भैया गुस्से में आ गए और बोले, "बहन, तू क्या सोचती है, क्या मैं जानबूझकर किसी को अपने पास खींच कर लाता हूं?"

"आदिकाल से तो हम लोगों ने ऐतिहासिक काम किए हैं। महल, मंदिर, किले और कई गगनचुंबी इमारतें बनाने में सहायता की है। कई बाग-बगीचे, पेड़-पौधे हमारी दम पर ही फल-फूल रहे हैं।"

मैंने कहा, "फिर भी आप कोशिश तो करना, दूल्हे के सर पर तो अभी भी सेहरा

बंधा हुआ है। प्लास्टिक के फूलों की लड़ियां सुंदर लग रही हैं।" ट्रैक्टर गाना भी बजा रहा था, 'ओ भैया, जरा देख के चलो, आगे ही नहीं पीछे भी देखो।'

जिसका डर था, वो ही हुआ, धड़ाम की आवाज के साथ फंसा। ट्रेक्टर पर बैठा मनसुखलाल जमीन पर आ गिरा। ट्रैक्टर बोला, "अरे, मर गया रे।" पीछे से (वाइफ) ट्राली की आवाज आई, "अरा दइया रे, कमर टूट गई।" ट्रैक्टर अपना दर्द भूलकर नई नवेली दुल्हन से पूछा, "क्या हुआ, ज्यादा लगी तो नहीं?" ट्राली चिल्लाई, "मैं तो पहले मना कर ही रही थी मुझे साथ मत ले चलो। तो कह रहा था, 'नहीं-नहीं चलो, तुम्हें शहर घुमा कर लाता हूं।' एक तो गेहूं के बोरे लाद दिए और खुद गड्ढे में जा फंसा। बड़ा आया शहर घुमाने वाला।"

(सड़क), "मुझे दोनों की बातें सुनकर हंसी भी आ रही थी और दुख भी हो रहा था।" मनसुखलाल कपड़े झाड़ते हुए उठा और फंसे हुए ट्रेक्टर के पहिए को देखने लगा जो गड्ढे में धंसा हुआ था।

स्थिति कुछ सामान्य होने पर मैंने पूछा, "बहन, कहां से आ रही हो?" उसने इधर-उधर नजरें घुमाई, कोई दिखा नहीं, तो मैंने कहा, "नीचे देखो, मैं सड़क बोल रही हूं।"

"अरी बहन, क्या बताऊं, पास के गांव से आ रही हूं। इनके मालिक मनसुखलाल जी गेहूं बेचते थे, तो ये कहने लगे, 'चलो आज तुम भी चलो, शहर का नजारा देखना।' खैर, मेरे बगैर अब इनका काम भी नहीं चलता सो आना पड़ा। शादी के बाद बस तीन-चार बार ही इनके साथ घूमने का मौका मिला, क्योंकि गांव में तो बक्खर से ही काम चल जाता है। मैं तो बस आम के पेड़ के नीचे पड़ी रहती हूं। दिन भर ये खेतों में काम करते हैं, शाम को मेरे पास लौट आते हैं।"

(सड़क) "मैंने पूछा, नई-नई शादी हुई है तुम्हारी?" "हां, अभी तीन महीने ही हुए हैं। मनसुखलाल जी ने इन्हें खरीदा था और तुरंत ही रिश्ता लेकर मेरे यहां आ गए थे। वैसे तो बड़ी-बड़ी कंपनियों, ठेकेदारों और सरकारी विभागों में काम करने वाले ट्रैक्टरों के रिश्ते आ रहे थे। लेकिन घर वालों ने सोचा, 'नौकरी एक की और काम दोनों को दिन भर करना पड़ता है।' इनसे हां करने का कारण यह था, मैंने सोचा ये दिन भर

खेतों में काम करेंगे और मैं सेठानी बनकर आराम करूंगी।"

(ट्रॉली), "और अपने बारे में कुछ बताओ। मैं गांव से आते समय रास्ते में यह सोच रही थी कि शहर में सड़कों की हालत अच्छी होगी। साफ-सुथरी चमकदार सड़कें होंगी। यहां आकर देखा कि तुम्हारी हालत तो बहुत खराब है। कैसे यह सब सह लेती हैं?"

(सड़क) ठंडी आह भरते हुए, "शहर में हमारी तो बड़ी दुख भरी दास्तान है, सुनकर क्या करोगी?"

(ट्रॉली) "नहीं-नहीं बताओ, दुख बांटने से मन हल्का हो जाता है।"

(सड़क) "तो सुनो, मेरा यहां जब जन्म हुआ था, कई सालों पहले से कॉलोनीवासी रोड के लिए लड़ाइयां लड़ते रहते थे। नेता आते और लुभावने वादे कर वोट लेकर चले जाते थे। लेकिन पिछले चुनाव के पहले आनन-फानन में मुझे बनाया गया था। मुझे बने एक साल भी नहीं हुआ और मैं गड्ढों में तब्दील हो गई।"

"मुझे बनाने से पहले बाकायदा नारियल फोड़कर उद्घाटन किया गया। हार-फूल मालाओं से नेताओं के चमचों ने नेताजी का स्वागत किया। नेताजी को फोकट में भाषण झाड़ने का मौका मिल गया। अपने भाषण में बोलने लगे, 'देश की सड़कें सुधरेंगी तो देश सुधरेगा।' भीड़ में किसी बेवड़े (नशेले) ने बोल दिया, 'सड़कों में गड्डे होंगे तो देश गड्डे में जाएगा।' तो नेताजी का पारा सातवें आसमान पर पहुंच गया था। आज इतने गड्ढे हो गए हैं कि मैं ही अपने आपको ढूंढती रहती हूं। कई लोगों ने तो हाथ पैर तुड़वा लिए और दो-एक तो ऊपर ही चले गए, मां-बाप का इकलौता बेटा आठ दिन हॉस्पिटल में रहा फिर बेचारा दुनिया से चला गया। अपनी-अपनी किस्मत है बहन, हमारी दादी सास का परिवार वी.आई.पी. इलाके में रहता है और दादी सास तो सत्तर-पचहत्तर साल की हो गई है मगर खूबसूरती अभी तक बरकरार है। हर साल दो साल में ब्यूटी पार्लर वाले आकर फेशियल करके जाते हैं। इसलिए हमेशा उनके चेहरे चमकते रहते हैं।"

"और एक आम जनता की कॉलोनियों में तो जैसे खुदाई वाले रोड बनने का इंतजार ही करते रहते हैं। जैसे ही रोड बनी, तुरंत ही एक-एक करके टेलीफोन वाले,

पानी की पाइप लाइन वाले, गटर बनाने वाले बारी-बारी से आकर अपनी खुदाई शुरू कर देते हैं और काम निकलने के बाद हमें वैसे ही छोड़ जाते हैं। बेचारी जनता बरसात में तो गिरते-पड़ते ही घर पहुंचती है।"

"मेरी दोनों मौसियां अमेरिका और जापान में रहती हैं। बता रही थीं, 'हमारे यहां तो हमें इतना मजबूत बनाया जाता है कि हम सालों-साल चलती रहती हैं। बरसात के पानी के लिए हमारे दोनों ओर नालियां बनाई जाती हैं।' और हमारे यहां नालियों में प्लास्टिक और कचरा आराम करता रहता है और गंदा पानी हमारे ऊपर से बहता रहता है। कोई देखने वाला नहीं और न कोई सुनने वाला रहता है। जनता बेचारी टैक्स देकर भी अपने हाथ-पैर तुड़वाती रहती है और कई तो भगवान को ही प्यारे हो जाते हैं।"

"गाड़ियां हमारे ऊपर से नागिन डांस करते हुए रास्ता पार करती हैं। पहले तो मरम्मत करने वाले रेत, गिट्टी और सीमेंट से गड्ढे भर देते थे, आजकल तो अंदर अलंगे और ऊपर मिट्टी डालकर चले जाते हैं। काश, हमें भी एक बार मजबूत बनाया होता तो कम से कम जनता की सेवा तो करती, सालों-साल चलती।"

(ट्रॉली) "अच्छा बहन, मैं चलती हूं, इनको क्रेन में आकर गड्ढे से निकाल दिया है।"

(सड़क) "अरे तुम्हें कहीं चोट तो नहीं आई थी?"

(ट्रॉली) "अरे नहीं-नहीं, मैं तो जोर से इसलिए चिल्लाई थी कि देखती हूं ये मुझे कितना चाहते हैं, क्योंकि अभी-अभी तो हमारी शादी हुई थी।" दोनों हंसने लगती हैं।

जाते-जाते ट्रॉली, "अच्छा बहन, मैं फिर आऊंगी और भगवान से दुआ करूंगी कि तुम्हारी हालत सुधर जाए।"

(सड़क) "अच्छा बहन, और आना।"

ज़रूर, मैंने आपके दिए गए पुस्तक के पाठ को संपादित और प्रूफरीड कर दिया है, और पठनीयता के लिए उपयुक्त पंक्तियाँ और पैराग्राफ भी जोड़ दिए हैं।

20.
भरपेट भोजन

यह कहानी का आशय है कि आधुनिक युग के भोजन से न तो पेट भरता है और ना ही आत्मा तृप्त होती है।

एक दिन देवलोक में सिंहासन पर बैठे भगवान नारद जी से बोले, "यार नारद, तुम तीनों लोकों में सफर करते हो, एक दिन भरपेट भोजन तो कराओ।"

नारदजी बोले, "नारायण-नारायण! प्रभु, मेरी क्या औकात कि मैं तीनों लोकों के स्वामी को भरपेट भोजन कराऊं। आपके एक इशारे मात्र से दुनिया के छप्पन भोग आपके भोजन के लिए तैयार हो जाएं।"

"अरे यार नारद, छप्पन भोग खा-खाकर हम बोर हो गए हैं। छप्पन भोग से भी आजकल आत्मा तृप्त नहीं हो पा रही है।"

नारदजी सोच में पड़ गए कि त्रिकालदर्शी को यह कहां की सनक सवार हो गई। मैं ठहरा घुमक्कड़, टालने के लिए नारद जी ने कहा, "भगवन, आज तो मैं पृथ्वी लोक का दौरा करके आया हूं, इसलिए थोड़ी थकान सी हो रही है। थोड़ा आराम कर लूं, कल सवेरे पुनः आपकी सेवा में उपस्थित होता हूं।" भगवान बोले, "ठीक है, नारद।"

सुबह नहा-धोकर नारदजी तैयार हो गए थे। तीनों लोकों के टूर करने के कारण नई-नई टेक्नोलॉजी से भली-भांति परिचित हो गए थे। इसलिए मोबाइल और इलेक्ट्रिक टू व्हीलर बैंक से किश्तों पर ले लिया था। नारद जी ने गाड़ी स्टार्ट कर वीणा गले में टांगी और यूट्यूब पर 'नारायण-नारायण' का म्यूजिक लगा कर महल की ओर

चल दिए क्योंकि भगवान के दो मिस कॉल आ चुके थे। रास्ते में सोचते हुए जा रहे थे कि रात गई बात गई, भगवान सब कुछ भूल गए होंगे।

महल में प्रवेश करते ही भगवान बोले, "आओ नारद, हम तुम्हारा ही इंतजार कर रहे थे। क्या हुआ भरपेट भोजन वाली बात का?" नारद सर खुजलाने लगे। "अरे यार, भगवन तो बात भूले ही नहीं।" अब कुछ न कुछ जवाब तो देना ही था, भगवन इतनी आसानी से पीछा नहीं छोड़ने वाले थे।

मरता क्या नहीं करता। नारद बोले, "भगवन, भरपेट भोजन के लिए धरती पर चलना पड़ेगा।" भगवान बोले, "हां-हां, क्यों नहीं, दो-तीन दिन घूम आते हैं। कब चलना है?" नारद बोले, "अगले सोमवार को चलेंगे। अभी यहां के थोड़े काम निपटा लूं, सैलरी वगैरह ले लूं।" भगवान बोले, "ठीक है।"

सोमवार के दिन सुबह नारद मुनि और भगवान दोनों चलने लगे। नारद मुनि बोले, "एक समस्या है, यह कपड़े वहां नहीं चलेंगे। धरती पर मेट्रो रेल चालू हो गई है, नीचे मानव ने बहुत तरक्की कर ली है। ये मेरा आईफोन देख रहे हो ना।" भरपेट भोजन के चक्कर में भगवान ने सारी शर्तें मान लीं।

नारद बोले, "मैंने वहां 2 बेडरूम का मकान 16वीं मंजिल पर किराये से ले रखा है। स्कूटी के बारे में आपको बताया ही था। मेरा नाम वहां नारायण स्वामी है, आपका नाम भी इंद्र कुमार रहेगा।"

दोनों रात में नौ बजे फ्लैट के कैंपस के गेट पर पहुंच गए। गेट पर गार्ड ने दरवाजा खोला, "अरे, नारायण स्वामी, बहुत दिन लगा दिए।" "हां यार, थोड़ा काम से रुक गया था। मैंने व्हाट्सएप किया था ना कि मेरे साथ मेरे दोस्त भी आने वाले हैं।" गार्ड बोला, "हां-हां, मैंने देख लिया था।"

फ्लैट के खुलने की आवाज सुनकर पड़ोसी भल्ला साहब बाहर आ गए, "ओये नारायणा, तुसी बहुत दिन दित्ता।" "हां भल्ला साहब, इस बार ज्यादा टाइम लग गया।" "ओये तेनु पीने दा पानी चाहिए तो बोल देना।" भल्ला साहब आर्मी के रिटायर्ड अधिकारी थे।

कमरे में पहुंच कर भगवान बालकनी से बाहर का नजारा देखने लगे। "यार नारद, यहां तो ढेर सारी ऊंची इमारतें हैं।" "हां भगवन, यहां जमीन कम होने के कारण लोग फ्लैटों में रहते हैं। शहरों में आजकल जमीनों की कमी के कारण महंगी पड़ने लगी हैं। चलो भगवन, हाथ-मुंह धो लो। मैं खाने का ऑर्डर कर देता हूं।" आश्चर्य से भगवान बोले, "कैसे?" नारायण बोले, "मोबाइल पर। पंद्रह मिनट में गरम खाना आ जाएगा।" नारद ने टी.वी. चालू कर दिया। भगवान बोले, "यार नारद, इसे क्या बोलते हैं?" नारद बोले, "यह डिब्बा पूरी दुनिया का हाल, खेल, सीरियल्स बताता है, बस ये रिमोट का बटन दबाते जाओ, ये बेवकूफ बनाता रहेगा।" खाना खाकर दोनों सो गए।

सुबह जल्दी उठकर सबसे पहले टी.वी. चालू कर दिया और बाबाजी का योगा वाला कार्यक्रम मजे से देख रहे थे। ऐसा लग रहा था नहा-धोकर तैयार होकर बैठे थे। नारायण दूध लेने चला गया। दूध के साथ कुछ फल-फ्रूट भी ले आया। दोनों ने फलों का सलाद खाया और दूध पीकर शहर घूमने चले। नारायण ने भगवन के कपड़े बदलवा दिए। शर्ट-पेंट-जूतों में भगवन बिल्कुल हीरो लग रहे थे। जैसे ही फ्लैट से बाहर निकले, दूसरे पड़ोसी अय्यर भाई बोले, "अरे नारायण भाई, कब आया? तुम्हारा बिजली का बिल आया है, लाकर देता हूं, जमा करवा देना।" "अच्छा अय्यर भाई।" बिजली का बिल लेकर दोनों लिफ्ट की ओर बढ़े, तो बच्चों ने आवाज लगाई, "नारायण अंकल, आ जाओ। हम लोग आपको नीचे तक छोड़ देंगे। शाम को बैडमिंटन खेलना पड़ेगा, बहुत दिनों बाद आए हो।" "हां-हां भई, आ जाऊंगा।" भगवान बोले, "वाह यार नारायण, तुम्हें तो यहां सब लोग जानते हैं।"

पार्किंग से नारायण ने स्कूटी निकालकर कपड़े से साफ की, हेलमेट पहना, क्योंकि बहुत दिन से खड़ी थी। कैंपस के गेट पर गार्ड ने सलाम ठोका। नारायण भाई चल दिए। नारायण बोले, "जरा दोस्त को शहर घुमा कर लाता हूं।" रोड पर नारायण बोले, "हां भगवन, बताओ कहां चलना है?" "यार तुम तो ऐसे पूछ रहे हो जैसे मैं यहां रोज आता हूं।" दोनों हंसने लगे। "चलो, शहर की सबसे अच्छी होटल में खाना खिलवाता हूं।" दोनों फाइव स्टार होटल के अंदर गाड़ी लेकर घुस गए। गेट पर दरबान ने देखा, "स्कूटी पर इतनी बड़ी होटल में कहां घुस आए ये दोनों?" लेकिन उनके गले में सोने की मोटी-मोटी चेन और हाथों में अंगूठियों, कलाई पर मोटा ब्रेसलेट देखकर चुपचाप दरवाजा खोलकर सलाम ठोका।

भगवान अंदर का नजारा देखकर चौंक गए, "होटल है या महल?" रिसेप्शन पर सुंदर-सुंदर अप्सराएं इंग्लिश में बात कर रही थीं। नारायण से आकर पूछने लगी कि, "मैं आपकी क्या मदद कर सकती हूं?" नारायण बोले, "हम लंच करने आए हैं।"

"वेलकम सर," कहकर उन्हें साथ में लेकर बड़े से डाइनिंग हॉल में छोड़ आई, जहां आलीशान टेबल कुर्सियां लगी थीं। नारायण बोला, "आइए प्रभु, यहां बैठते हैं।" दूसरी अप्सरा डायरी लेकर आई, "सर, क्या लेंगे आप?" और मेनू पकड़ा दिया। कोट-पैंट में लेडीज को देखकर भगवन का सिर चकरा रहा था और मजा भी आ रहा था। नारायण से पूछने लगे, "नारायण, तुमने बताया नहीं, रंभा-उर्वशी यहां काम करती हैं?" नारायण हंसते हुए बोले, "अरे भगवन, ये अपने यहां वाली नहीं हैं।" भगवान बोले, "क्या बात कर रहे हो? लग तो वैसे ही रही हैं।"

नारायण ने मेनू देखकर खाना ऑर्डर कर दिया, आखिर में आइसक्रीम भी खिलवाई। खाना खाकर दोनों बाहर आ गए। नारायण ने भगवान से पूछा, "प्रभु, भोजन कैसा लगा?" भगवान बोले, "मजा नहीं आया।" नारायण का मोबाइल बजने लगा। नारायण ने फोन पर बात की और प्रभु से बोले, "थोड़ा ऑफिस जाना पड़ेगा, साहब ने बुलाया है।" भगवान बोले, "नारायण, तुम यहां क्या काम करते हो?" "भगवन, मैं एक एन.जी.ओ. में सुपरवाइजर हूं जो पर्यावरण विभाग के लिए काम करती है। हमारी संस्था पेड़-पौधे लगाने, जंगल बचाने, पर्यावरण को नुकसान पहुंचाने वाली वस्तुओं का बहिष्कार करती है।"

"जैसे प्लास्टिक की पन्नियां, प्लास्टिक की पानी की बोतलें जो पर्यावरण को नुकसान के साथ-साथ स्वास्थ्य के लिए भी हानिकारक हैं। उसके लिए हमारे एन.जी.ओ. ने एक स्कूल के बच्चों को बैग पर स्लोगन छपवाकर बंटवाए कि 'जंगल बचाओ', 'पेड़-पौधे लगाओ', 'कचरा, कचरा गाड़ी में डालो', 'मम्मी-पापा थैला लेकर बाजार जाएं', 'पन्नियों में सामान न लाएं'।" "और आपके दिए हुए जादुई आईने में देखकर पता कर लेता हूं कि कौन से मकान वाले अभी भी कचरा रोड पर भरकर बाहर फेंक रहे हैं। दूसरे दिन सुबह चार बजे मोहल्ले का कचरा उठाकर उनके गेट पर चुपचाप डलवाकर एक पर्ची उनके दरवाजे पर चिपकवा देता हूं कि 'अगर कचरा (कचरा-गाड़ी) में नहीं डाला तो कल से पूरा आंगन कचरे से भरा रहेगा'। पर्ची पढ़कर

लोग डर जाते हैं और दूसरे दिन से कचरा गाड़ी में डाल देते हैं। और सब्जी वालों तथा किराने वालों के यहां पर्चा चिपकवा दिया, 'थैला न लाने वाले को सब्जी और किराना महंगा दिया जाएगा'। जिस कारण लोगों में जल्दी सुधार आने लगा। प्रभु, वाह यार नारायण, बहुत अच्छा काम कर रहे हो।"

"पंद्रह अगस्त और 26 जनवरी को जो कॉलोनी का पार्क सबसे सुंदर और कॉलोनी साफ-सुथरी रहती है, उस कॉलोनी को इनाम स्वरूप एक बड़ी शील्ड और एन.जी.ओ. की तरफ से प्रशंसनीय पत्र दिया जाता है। इसका एक फायदा और हुआ कि कॉलोनी के लोग एवं बच्चे रविवार के दिन सुबह पार्क की साफ-सफाई और नए पेड़-पौधे लगाकर श्रम दान करते हैं। सभी लोग अपनी जिम्मेदारी समझने लगे हैं। किसी को भी कचरा बाहर फेंकते देख टोक देते हैं। छोटे बच्चों के स्कूलों में प्रार्थना के बाद यह पाठ पढ़ाया जाता है कि 'मम्मी-पापा से कहें कि कुछ भी सामान खरीदने बाजार जाएं तो अपनी थैली साथ लेकर जाएं, पन्नी में सब्जी न लाएं'।"

दिन भर दोनों शहर घूमते रहे। नारायण थोड़ी देर के लिए अपने ऑफिस गए और भगवान का परिचय 'इंद्रकुमार' के नाम से ऑफिस वालों से कराया।

"यार नारायण, शहर की भीड़-भाड़, भागम-भाग देख कर तो दिमाग खराब हो गया।" "भगवन, अब क्या कर सकते हैं? यहां पर व्यक्ति पैसा कमाने और अमीर बनने के चक्कर में अपने लिए समय ही नहीं निकाल पाता है। अच्छा प्रभु को शाम को डिनर कहां करना है?" "अरे यार, सुबह का खाया हजम नहीं हुआ, तुम शाम की बात कर रहे हो? शाम को खिचड़ी खाकर सोने का इरादा है।" दोनों घर आ जाते हैं। प्रभु टी.वी. खोलकर बैठ जाते हैं। नारायण वादे के अनुसार बच्चों के साथ पार्क में खेलने चले जाते हैं। आते समय थोड़ी धनिया, मिर्च और सब्जी, फल ले आता है।

रात में खिचड़ी खाकर टी.वी. देखते हुए बातचीत करते हैं। "प्रभु, कल कहां चलना है?" "प्रभु, इस भीड़-भाड़ से बाहर किसी छोटे से गांव की तरफ चलते हैं।" "चलो प्रभु, आपको यहां के गांव घुमाकर लाता हूं।" सवेरे उठकर दोनों गांव की ओर चल दिए।

बहुत दूर चलने के बाद प्रभु बोले, "रुको-रुको नारद, यहां थोड़ी देर।" दिन के

बारह बज रहे थे। नारद ने बोतल से पानी निकाला और भगवान पानी पीकर गला तर किया। "गाड़ी पर बैठे-बैठे भी थकान हो जाती है नारद।" "हां भगवन, आपको आदत नहीं है ना, इसलिए।" तभी भगवन बोले, "यार नारद, कहीं से बहुत अच्छी खुशबू आ रही है।" तभी राहगीर मोटरसाइकिल से आता हुआ दिखाई दिया। नारद जी ने उसे रोककर पूछा, "भैया, यहां पास में कोई गांव है क्या?" वह बोला, "ये पहाड़ के पास एक गांव कठपुतलीखेड़ा है।" नारद जी ने पूछा, "यार ये कैसा नाम है?" राहगीर बोला, "साहब, यहां शहरों में कठपुतली का डांस दिखाकर रोजी-रोटी कमाने वाले रहते हैं, इसलिए इस गांव का नाम कठपुतलीखेड़ा पड़ गया।" "आप भी वहीं रहते हो क्या?" "हां साहब, मैं भी वहीं रहता हूं।"

"अच्छा चलो नारद, हमारी नाक कह रही है कि खुशबू पक्का इसी गांव से आ रही है।" दोनों गांव की ओर चल पड़ते हैं। जाकर देखा तो गांव बहुत छोटा सा है। भगवन और नारद उसी दिशा में चल दिए जहां से वो खुशबू आ रही थी। जाकर देखा तो घूंघट में एक औरत मोटी-मोटी रोटियां सेंक रही थी। सब्जी थाली में कटी हुई रखी थी। कुछ कबीट (कैथा) भी रखे थे।

गरम रोटी देखकर भगवन की भूख बढ़ गई। नारद के समझ नहीं आ रहा था कि खाना कैसे मांगूं। नारद जी हिम्मत कर बोले, "जीजी, पीने का पानी मिलेगा?" महिला ने गर्दन उठाकर देखा और पूछने लगी कि, "कौन हो भैया, कहां से आए हो?" "जीजी, हम शहर से घूमने आए हैं। प्यास लगी थी, थोड़ा पानी मिल जाता तो।" "हां-हां, अभी लाई। आप लोग बैठो।" सामने खटिया पर दोनों बैठ गए। भगवान पेट की ओर इशारा करते हुए कहने लगे, "यार, भूख लग रही है।" नारद ने इशारे से कहा, "कुछ जुगाड़ लगाता हूं।"

अंदर से दो पीतल के चमचमाते हुए ग्लास में जीजी पानी लेकर आ गई। पानी पीते-पीते नारदजी बोले, "जीजी, यह कबीट का क्या बनाती हो?" "जीजी, इसकी चटनी बनती है, रोटला के साथ अच्छी लगती है।" "आप लोगों ने नहीं खाई क्या कभी?" "नहीं जीजी, ये सब चीजें शहर में कहां मिलती हैं?" जीजी बोली, "आप लोग खाना खाओगे?" तुरंत दोनों ने हां भी भर दी। "जीजी, भूख भी बहुत लगी है।" "अच्छा, मेथी-आलू की सब्जी बनाकर चटनी पीस देती हूं, आप लोग जब तक सामने

कुएं पर हाथ-मुंह धोकर आ जाओ। असल में हम गरीब लोग हैं ना, इसलिए शहर के लोग प्रायः हमारे यहां खाना पसंद नहीं करते।" "जीजी, हम तो गांव के रहने वाले हैं, ये शहर में नौकरी पाने के लिए आ गए।"

दोनों फटाफट हाथ-मुंह धोकर आ गए। जब तक जीजी ने चटाई बिछाकर थाली लगा दी। चूल्हे पर बने खाने का पहला कोर खाते ही भगवान बोले, "वाह क्या स्वाद है!" दोनों ने डटकर भोजन किया। जीजी दो गिलास ताजा छाछ ले आई। छाछ पीकर तबीयत मस्त हो गई। भगवान बोले, "इतना स्वादिष्ट खाना हमने कभी नहीं खाया।" और अपनी अंगूठी उतारकर जीजी को देने लगे। जीजी दूर हटकर बोली, "भैया, खाने का कोई पैसा नहीं लेते।"

नारदजी बोले, "जीजी, हम पैसा नहीं दे रहे हैं, हमारे दोस्त खुशी से इनाम दे रहे हैं। होटल वाले भी शहरों में खाना खिलाते हैं तो पैसे लेते हैं।" "अच्छा जीजी, अब हम चलते हैं। अब अगली बार आने से पहले हम आपको बता देंगे।" रात में जब पतिदेव आए तो जीजी ने पूरा किस्सा सुनाया और अंगूठी दिखाई। पतिदेव की आंखें फटी की फटी रह गईं। कहने लगे, "यह तो सोने की अंगूठी है, कम से कम पच्चीस-तीस हजार की होगी।" यह सुनकर जीजी का सिर चकराने लगा।

इधर रास्ते में नारद ने पूछा, "प्रभु, खाना कैसा लगा?" भगवान बोले, "आज हमने भरपेट भोजन किया। पेट तो भरा, लेकिन आत्मा भी तृप्त हो गई। ये शहर के लोग भी ना बड़े-बड़े होटलों की चमक-दमक के पीछे भागे जा रहे हैं। असली स्वादिष्ट भोजन तो गांव में ही मिलता है।"

दूसरे दिन नारद से बोले, "अब हमारी इच्छा पूरी हो गई, हम वापस जाते हैं। और हां, कुछ ऐसा करो कि शहर के लोग छुट्टी वाले दिन गांव में बना खाना खाने लगें, ताकि शहर वालों को स्वादिष्ट भोजन और गांव के लोगों की गरीबी दूर हो जाए। अब हम बार-बार आया करेंगे भरपेट भोजन खाने के लिए।"

21.
ख्वाहिशें

"बाप कमाई की ख्वाहिशें, बाप की उम्र के साथ बुजुर्ग हो जाती हैं।"

"आप कमाई की ख्वाहिशें, संघर्ष के बाद जन्म लेती हैं।"

लगभग 25 वर्ष पहले एक मध्यम वर्गीय परिवार में एक होनहार बालक ने जन्म लिया। नाम था विक्की। यह कहावत उसके लिए भी बनी थी कि पूत के पांव पालने में ही दिख जाते हैं।

विक्की बचपन से ही पढ़ने में बहुत होशियार बालक था। उसके पापा एक सरकारी बाबू और मां एक गृहिणी थीं। प्राथमिक कक्षा से विक्की ने प्रथम दर्जे में सफर करना शुरू कर दिया था। शिक्षा के पौधे को फलने-फूलने देने के चक्कर में उसने बाकी खरपतवार (ख्वाहिशों) को उगने ही नहीं दिया।

घर में जो बनता खा लेना, घर वाले जो कपड़े पहनाते पहन लेता, बस एक शौक था टी.वी. पर क्रिकेट मैच देखना। दोस्ती भी उसने स्कूल तक ही सीमित रखी थी। मोहल्ले में शायद ही उसका कोई दोस्त रहा हो।

घर की परिस्थितियों को देखते हुए उसने ख्वाहिशों को करीने से अपने पास संभालकर रखता चला गया। कभी मां-बाप से इस बात का जिक्र ही नहीं किया।

समय निकलता चला गया। 12वीं कक्षा में मेरिट में अपनी जगह बनाई। साथ ही साथ इंजीनियरिंग के एग्जाम में उसका रीजनल इंजीनियरिंग कॉलेज एम.ए.सी.टी.

में सिलेक्शन हो गया। पूरा परिवार खुशी से फूला नहीं समाया, केवल विक्की को छोड़कर, क्योंकि घर के सामने ही एम.ए.सी.टी. कॉलेज था। पूछने पर पता चला, वो इस कॉलेज में दाखिला नहीं लेगा, 'IIT' की तैयारी करेगा। बालक की जिद के आगे घर वाले कुछ नहीं कर सके।

फिर दूसरे वर्ष आई.आई.टी. का एग्जाम देकर उसमें रैंक बनाई। फिर मम्मी-पापा बहुत खुश हुए। पापा ने पूछा, "बेटा, क्या चाहिए?" शायद पापा को लगा थर्ड डिवीजन और सेकंड डिवीजन में पास होने के बाद बाइक की मांग करते हैं, फिर विक्की ने तो रिकॉर्ड तोड़ा है। लेकिन भोले विक्की ने मम्मी-पापा से नजरें मिलाए बगैर लाइफ की पहली ख्वाहिश रखी, "पापा, एक पिक्चर दिखा दो और एक अच्छी सी होटल में खाना खिलवा देना।" पापा की आंखों में खुशी के आंसू आ गए।

आई.आई.टी. कंप्लीट होने के बाद कैंपस सिलेक्शन में अच्छी कंपनी में जॉब लग गई। लगभग छह माह बाद विक्की ने अपनी मेहनत की कमाई से एक लाख रुपए की एवेंजर बाइक खरीदी। इस बीच उसके दोस्त ने जो साथ में आई.आई.टी. में पढ़ता था, उसने आई.एस. का एग्जाम पास कर सिविल सर्विसेज ज्वॉइन कर ली। बस ये विक्की के लिए टर्निंग पॉइंट साबित हुआ। उसने भी आई.एस. का एग्जाम देने की ठान ली और नौकरी छोड़कर एग्जाम की तैयारी करने लगा। पहली बार में मार्क्स कम आने के कारण सिलेक्शन नहीं हो पाया। निराश होने की जगह दूसरी बार फिर पूरा जोर लगा दिया। सही दिशा में किया गया संघर्ष सफलता की मंजिल तक पहुंचा ही देता है। इस प्रकार विक्की ने शिक्षा का अंतिम पड़ाव पार कर ही लिया। आज आई.एस. ऑफिसर बन गया।

22.
टेलिफोन का नाती - मोबाइलवा

गांव के दो फुर्सती बुजुर्ग अपने घर के चबूतरे पर चर्चाएं कर रहे थे।

"यार पूरन, कई सोच रिया?"

"कई नई यार, ये टेलिफोन को नाती सुसरो बहुत ही आवारा निकलयो।"

"कौन, योई मोबाइलवा? लेट्रिन बाथरूम में भी पीछो नहीं छोड़े, वहां भी साथ ही जाये।"

"इसका दादा तो बहुत ही शरीफ थो। काम से काम रखतो थो। ये आवारो तो सारी दुनिया को अपनी उंगली पे नचा रियो है। क्या छोटे, क्या बड़े, इके सारे पागल हुए जा रियो हैं। हर कोई कान से लगाए घुमा करे है।"

"यार रामकरण, तु गेहूं बेचने मंडी गयो थो, कई हुओ?"

रामकरण, "मैं तो बेच आयो।" रामकरण पूरन से, "यार गेहूं को कई हुओ?"

पूरन, "यार कल भुनसारे ही निकलुंगो, बड़ा छोरो भी जायगो।"

दो दिन बाद फिर, "पुरण, कई हुयो, बेच आयो गेहूं?"

"हां यार, बेच आयो, लेकिन शहर में तो क्या छोरा-छोरी, क्या बड़े-बड़े, सारे ही पागल हुई रियो हैं। मंडी जाते समय रास्ते में कोई ऐसो नी मिलयो जिसके पास मोबाइलवो नहीं थो। एक छोरो दिख तो खाते-पीते घर को लग रियो थो, लेकिन

बिचारो भरी जवानी में पागल और बहरा हुई गयो थो।"

रामकरण, "पूरन से यार, एसो कई हुई गयो?"

"यार, वो तो अकेले में ही बड़बड़ातो जा रियो थो। बाके कान में ऊंचा सुनने वाली मशीन भी लगी थी जामे दो वायर लटक रियो थो।"

"कल कुएं पास वाले घीसू के छोरे की शादी में नई नौटंकी हुई गई।"

"कौन, घीसू को छोरो जो फैक्ट्री में काम करे है?"

"हां, वोई छोरो, पांच क्लास पास, लाड़ी लायो 12 क्लास पास।"

"हुओ कई?"

"चार फेरो के बाद छोरी रुक गई। पंडित के मंत्र भी खत्म हुई गयो, छोरी वही डटी रही है। सब घराती-बराती घबरा गए, कई हुई गयो?"

"बाद में पता चालयो, छोरी की सहेली का मोबाइल आयो थो। कल आंखों का डॉक्टर कह रियो थो, 'हमारे भी अच्छे दिन आने वाले हैं।' 'सावन के अंधे को तो हरो-हरो नजर आ भी जातो थो, जवानी के अंधे को तो कछु भी नजर नहीं आयेगो, तो हमारे पास ही आयगो।"

"यार रामनारायण, तु सही कह रियो है। दारू, गांजा, भंग को नशो तो दूसरे दिन उतर भी जाये। जा मोबाइल को नशो तो जिंदगी भर की बीमारी दीखी रही है, जा आसानी से नहीं उतरे हैं।"

"हां यार पूरन, हम अनपढ़ ही सही, ये आवारा मोबाइल को नशो तो नहीं लागयो। नी तो बुढ़ापे में हम भी लोगों से टकराते फिरते और गालियां अलग से खाते। गांव की बहन-बेटियां हमारा मजाक उड़ाती, 'डोकरो अंधो हुई गयो'।"

23.
कंचे

"कल्लू, दिन भर कंचे खेलता रहता है, घर का एक काम नहीं सुनता है। कंचों के पीछे दीवाना हो गया है।" शरबती बाई (कल्लू की अम्मा) काम करते-करते बीच-बीच में आवाजें लगाकर फिर अपने घरेलू काम में लग जातीं। कल्लू अपना, "फिर मोहल्ले के बच्चों के साथ आ रहा हूं," बोलकर कंचे खेलने में मगन हो जाता था। काम से फुर्सत होकर छड़ी उठाकर कल्लू के पीछे भागती, तब जाकर कल्लू दौड़ता हुआ सीधे घर में घुस जाता। बाकी बच्चे भी डरकर भाग जाते कि कल्लू के हिस्से का प्रसाद हमें न मिल जाए।

कल्लू पढ़ाई में बहुत तेज था। उसे दो काम बहुत अच्छे लगते थे। एक कंचे खेलना और दूसरा मन लगाकर पढ़ाई करना। कल्लू को उसकी मां प्यार से 'कल्लू' बुलाती थी जबकि वह गोरा-स्मार्ट बालक था, लेकिन कल्लू के बाप का रंग काला था।

शरबती बाई आठ क्लास पास कर चुकी थी, तब ही पास के गांव में 'फकीरचंद फुल्की वाले' से उसकी शादी हो गई थी। जब शरबती बाई को गुस्सा आता तो कल्लू के पापा का नाम 'फटीचर चंद फुल्की वाले की औलाद' कहकर कल्लू को बुलाया करती थी।

फकीरचंद को शहर में आए 20 साल हो गए थे। वे चौराहे पर चाट का ठेला लगाते थे और शरबती बाई पास की कॉलोनी में बर्तन, झाड़ू-पोंछे का काम किया करती थी। इसलिए सुबह-शाम व्यस्त रहती थी। दोपहर में पांच-छह घंटे फ्री रहती थी। चार बजे कल्लू के पापा चाट का ठेला लेकर चौराहे पर जाते तो रात 10:00 बजे लौटकर वापस आते थे। कल्लू उनकी इकलौती औलाद था। दोनों पति-पत्नी

मिलकर गृहस्थी की गाड़ी खींच रहे थे। हफ्ते में एक दिन छुट्टी रखते थे, उस दिन चाट का ठेला नहीं लगाते थे। वह शनिवार का दिन होता था।

रोज की भांति एक दिन कल्लू की अम्मा कल्लू को आवाज लगा रही थी कि किराने की दुकान से सामान ले आ। कल्लू भी, "अभी थोड़ी देर से जाता हूं," कहकर खेल में लग जाता था। फिर छड़ी लेकर निकली। बोली, "तेरे पापा को चाट का ठेला लगाना है, जाकर किराना ले आ।" कल्लू दूर से बोल पड़ा, "अम्मा, आज तो शनिवार है, बाबा की छुट्टी है।" कुछ सोचकर, "अरे हां यार, आज तो शनिवार है।" फिर कल्लू से बोलती है, "तेरे बाबा कहां गए?" कल्लू बोला, "वो पड़ोस वाली गली में कंचे खेल रहे हैं।" शरबती बाई, "क्या बोला?" "हां अम्मा, बाबा भी कंचे खेल रहे हैं। चलो आओ, दिखाता हूं।" शरबती कल्लू के साथ पड़ोस वाली गली में दूर खड़ी होकर देखती है और हंसते-हंसते वापस घर आ जाती है।

शाम को खाना खाते समय शरबती फकीरचंद से पूछती है, "ये क्या बच्चों जैसा शौक पाल लिया? मैंने देखा आप भी कंचे खेल रहे थे।" "हां कल्लू की अम्मा, बड़ा मजा आता है। कंचे पर निशाना लगाते समय सारी दुनियादारी भूल जाते हैं, बचपना याद आ जाता है। हफ्ते भर की टेंशन दो मिनट में गायब हो जाती है।" "तुम भी शहर आकर पगला गए हो।" और हंसने लग जाती है। कल्लू के पापा बोले, "खेलकर देखो, मजा आता है। लेकिन तुम्हें तो टी.वी. वाले बुलाकर ले जाते हैं कि 'आओ हमारे सीरियल देखो' और दिन भर खटिया तोड़ती रहो। शहर वालों को बी.पी., शुगर, मोटापे की बीमारी टी.वी. वाले ही दे रहे हैं और आंखों की रोशनी फ्री में छीन रहे हैं।"

शरबती एक दिन घर के बाहर बैठकर गेहूं बीन रही थी और साथ-साथ कल्लू को दोस्तों के साथ कंचे खेलते हुए देख रही थी। बच्चे अपनी मस्ती में गरत होकर कंचे खेल रहे थे। कौशल्या, रागिनी, चमेली जो शरबती के पास ही रहती थीं और सभी बंगलों में खाना बनाने, साफ-सफाई करने जाती थीं, कहने लगीं, "लाओ शरबती, हम भी गेहूं बिनवा लें।" ये इनमें अच्छी आदत थी, किसी के पापड़, बड़ी या कोई भी काम हो सब हिल-मिलकर कर लिया करते थे और दुख-सुख में साथ खड़े हो जाते थे। शरबती ने पूछा, "काए, कंचे खेलोगी?" सभी एक साथ चौंककर बोलीं, "कंचे?" शरबती, "हां-हां, कंचे।" रागिनी, "बोलो तो घर से भगा देंगे।" सबने हां में हां मिलाई, "हमारे पति परमेश्वर तो बोलेंगे ही 'का पगला गई हो कि, दो-दो बच्चों की अम्मा होके बचपना सूझ रहा है'।"

"किसी को पता नहीं चलेगा। अच्छा, ये बताओ किस-किसको खेलना आता है?" सबने एक साथ हामी भर दी। "बस, तो कल सब अपने-अपने काम से फुर्सत होकर आ जाना। और एक बात बताऊं? हमारे पतिदेव फटीचर जी, फुल्की वाले और तुम सभी के परमेश्वर भी पिछले हफ्ते दूसरी गली में कंचे खेल रहे थे। मैंने अपनी आंखों से खुद ने देखा। कल्लू के पापा बता रहे थे कि बड़ा मजा आता है।"

दूसरे दिन सभी इकट्ठी हो गईं सभी अपने-अपने बच्चों से कंचे लेकर आई थीं। बारह बजे से खेलते-खेलते शाम के चार बज गए, फिर भी मन नहीं भरता। रागिनी बोली, "कल अपन सितोलिया खेलेंगे, मुझे अच्छा लगता है।" सब बोले, "ठीक है।" "फिर अगले दिन गिल्ली डंडा खेलेंगे।" "हां-हां, मजा आएगा।"

आज दो महीने बाद रागिनी के पापड़ बनाने जमा होने पर सबने खेलों से होने वाले फायदे गिनाए और कहने लगीं, "पहले हम काम पर से आने के बाद थक कर टी.वी. चालू कर बैठ जाती थीं, लेकिन आजकल ज्यादा काम करने और खेलने के बाद भी नहीं थकतीं।" "और हमारे परमेश्वरों को भी पता चल गया, उन्होंने भी हमें कुछ नहीं बोला और कहने लगे, 'यह तो बहुत अच्छी बात है'।" शरबती बोली, "अब समझ में आया, जीवन में खेलों का इतना महत्व क्यों है।" सभी ने हां में हां मिलाई और अपने-अपने घर चली गईं।

24.
आलू की सब्जी

मां-बाप द्वारा दिया गया नाम और शिक्षा जीवन भर साथ निभाते हैं।

"मम्मी, आलू की सब्जी बनाई क्या?" स्कूल से आकर बस्ता पलंग पर पटककर पिहू ने फिर आवाज लगाई और मोबाइल उठाकर वीडियो गेम खेलने में मगन हो गया। उधर किचन से मम्मी की आवाज आई, "पालक की सब्जी बनाई है, जो शरीर के लिए पौष्टिक होती है। उसमें आयरन होता है, जो शरीर की हड्डियों को मजबूत बनाता है।" वीडियो गेम से कीमती समय निकालकर पिहू ने फिर आवाज लगाई, "तो आप ही खा लेना, मुझे भूख नहीं है।"

यह रोज का ढर्रा था, लेकिन मम्मी हार जाती हैं। पिहू और मयूरी दो बहन-भाई थे। मयूरी पिहू से चार साल बड़ी थी, जो ग्यारहवीं क्लास में थी। पिहू सातवीं क्लास में था। घर में छोटा होने के कारण सबका लाडला था। मयूरी का तो सबसे लाडला भाई था, इसलिए वह उसे छेड़ा करती थी। वह हमेशा अलग-अलग ना।मों से बुलाया करती थी- कभी 'आलू बड़ा', 'मोटू', 'गोलगप्पे'।

पिहू की मम्मी ने आज बगैर बोले ही आलू की सब्जी बनाकर रख दी। जैसे ही पिहू ने पूछा, "मम्मी, आज सब्जी क्या बनी है?" तो मम्मी बोली, "आलू की सब्जी।" पिहू ने तुरंत बस्ता अलमारी में रखकर हाथ-मुंह धोए और डाइनिंग टेबल पर आकर बैठ गया। कहने लगा, "जल्दी खाना दे दो, आज बहुत भूख लगी है।"

खाना खाते समय मम्मी बोली, "आज तुझे मैं अच्छी कहानी सुनाऊंगी।" पिहू

मुंह बनाकर, "आज फिर राजा-रानी, चूहे-बिल्ली, खरगोश की कहानी! मुझे बोर करोगी। आपकी ये कहानियां सुनकर मुझे नींद आ जाती है।" मम्मी बोली, "आज अपन शर्त लगाते हैं। यदि कहानी सुनते-सुनते तुझे नींद आ गई तो कल से कहानी बंद और आलू की सब्जी चालू। और यदि नींद नहीं आई तो जो मैं बनाऊंगी, सब खाना पड़ेगा। हफ्ते में एक दिन आलू की सब्जी बनेगी।"

"अरे, पहले सब्जी तो बनाओ, फिर सोचूंगा।" मम्मी खिलखिलाकर हंसने लगी, "बदमाश कहीं का!"

"आज तेरे नानाजी की कहानी सुनाऊंगी।" "अरे वाह, मैं तो सोच रहा था वही पुरानी-पुरानी कहानी सुनाओगी।" "अच्छा सुन, तेरे नानाजी सिहोरा गांव के स्कूल में स्पोर्ट टीचर थे। गांव में एक ही सरकारी स्कूल था। हम सब भी वहीं पढ़े हैं। नानाजी रोज स्कूल में प्रार्थना के बाद आधा घंटा पी.टी. करवाया करते थे और दिन भर अलग-अलग क्लास में गेम्स पीरियड हुआ करता था, तो वह फुटबॉल, क्रिकेट, हॉकी, खो-खो तथा व्यायाम के लिए रस्सी कूदना, दौड़ना सिखाया करते थे। आज भी तेरे नानाजी की कुछ बातें हमें याद हैं कि दौड़ते समय हमेशा मुंह बंद रखना चाहिए। इससे थकान जल्दी नहीं आती और सांस भी नहीं फूलती थी। और सबेरे-सबेरे खाली पेट भीगे हुए चने खाने का बोला करते थे, जिससे ताकत आती है।"

"उसी गांव में पुराना मकान जो तेरे नानाजी के दादाजी ने बनवाया था, हम लोग उसी में रहा करते थे। हम लोग तेरे नानाजी के साथ साइकिल पर स्कूल जाया करते थे। मामा आगे और मैं पीछे बैठा करती थी। एक दिन हमारे स्कूल के प्रिंसिपल का ट्रांसफर हो गया। उनकी जगह मि. भार्गव आए, उनके दो बच्चे थे। बड़ी बेटी हमारे साथ आठवीं और छोटा गोलू तीसरी कक्षा में पढ़ता था। वह देखने में तेरे जैसा गोलगप्पा था। उसे भी आलू की सब्जी बहुत पसंद थी। उसे खेलना-कूदना बिल्कुल अच्छा नहीं लगता था। बस एक जगह बैठे रहना या सोना बहुत अच्छा लगता था।"

एक दिन प्रिंसिपल साहब ने पापाजी को अपने कमरे में बुलाया और उनके बेटे गोलू के बारे में बताने लगे, "यार, मेरा बेटा शहर में रहने के कारण बहुत आलसी हो गया है। इसका वजन भी बढ़ रहा है। शहर में स्कूल बस से आना-जाना था। खाने में आलू की सब्जी के अलावा कोई चीज पसंद नहीं है। मैंने यहां आकर बाकी बच्चों

की दिनचर्या देखी तो मुझे भी एक उम्मीद सी बन गई। आप मेरे बच्चे को बाकी बच्चों की तरह बना दो तो बड़ी मेहरबानी होगी।"

पापा बोले, "सर, मैं पूरी कोशिश करूंगा, क्योंकि गोलू अभी बहुत छोटा है।" कहकर चले आए।

घर आकर पापा ने मम्मी को यह बात बताई और बोले, "अब क्या करें?" मम्मी बोली, "चिंता मत करो, कोई-न-कोई उपाय निकल आएगा।" मम्मी बोली, "अरे ठंड आ रही है, मैं सोच रही थी दो रजाई भरवा लूं। अब बच्चों को एक-एक रजाई लगने लगी है।" पापा बोले, "हां-हां, भरवा लो।" मम्मी, "आज मैं बाजार से कपड़ा ले आती हूं।"

मैं भी मम्मी के साथ बाजार चली गई। कपड़ा लेकर रजाई भरने वाले की दुकान पर पहुंचे। मम्मी रजाई भरने वाले से रुई का भाव पूछने लगी। तभी मेरी नजर रजाई भरने वाली आंटी पर पड़ी। वे एक मोटे से गद्दे को मोटे से डंडे से पीट रही थीं। रास्ते में मैंने मम्मी से पूछा, "वह आंटी गद्दी को क्यों पीट रही थीं?" मम्मी बोली, "अरे वो उसको पीट-पीटकर पतला कर रही थीं। फिर उस पर टांके लगा देगी। इससे रुई अच्छी तरह जम जाती है।"

घर आकर मैंने मम्मी से कहा, "अरे पापा की गोलू वाली समस्या के लिए एक आइडिया आया है। अपन रुई वाले से बोलकर एक गोलू के बराबर का गुड्डा बनवाएंगे। उस पर चित्रकारी कर नाक-मुंह-कान बना देंगे और उसे भानू की पुरानी यूनिफॉर्म पहना कर स्कूल ले जाएंगे। उसे पापा रोज छड़ी से पीटा करेंगे।" कुछ-कुछ मम्मी के समझ में आ गया। शाम को पापा के स्कूल से आने पर मम्मी पापा से बोली, "आज आपकी समझदार बेटी ने आपकी समस्या का समाधान निकाल लिया।" खाना खाते समय मम्मी बोली, "रश्मि, पापा को गुड्डे वाली बात तो बता।"

रश्मि बोली, "पापा, गोल-मटोल गुड्डा आप स्कूल में ले जाकर रखना और जहां गोलू बैठा-बैठा स्कूल के बच्चों को खेलता हुआ देखता रहता है, उसके सामने ग्राउंड पर इस गुड्डे को छड़ी से रोज चार छड़ी जमा दिया करना। शायद नकली गोलू की पिटाई देखकर असली गोलू में बदलाव आने लग जाए।" पापा बोले, "वाह बेटा,

मैं सारी बात समझ गया। तुम लोग गुड्डा बनवा लो।" चार-पांच दिन में गुड्डा बनकर आ गया। मैंने और रश्मि ने उसे स्कूल यूनिफॉर्म पहना कर तैयार कर दिया। शाम को स्कूल की छुट्टी होने के बाद मैं और पापा उसे स्कूल में रखकर आ गए।

दूसरे दिन सुबह पापा ने चुपचाप जहां गोलू बैठकर बच्चों को खेलता हुआ देखा करता था, उससे थोड़ी दूर पर गुड्डे को रख दिया। प्रार्थना के बाद गोलू वहां आकर बैठ गया। पापा छड़ी लेकर गुड्डे के पास पहुंच गए। फिर जोर से गुड्डे से बोले, "कल से तुम्हें पी.टी. करना है। नहीं तो यह छड़ी से तुम्हारी पिटाई होगी।" कहकर ग्राउंड की ओर चल दिए। गोलू आवाज सुनकर गुड्डे और छड़ी को देखता रहा।

अगले दिन फिर पापा गुड्डे पर चिल्लाए, "क्यों, तुम आज पी.टी. करने ग्राउंड पर नहीं आए? तुम्हें कल बोला था।" और छड़ी उठाकर उसकी पिटाई करने लगे। गोलू यह सब देख रहा था। पापा ने गोलू को सुनाते हुए गुड्डे से बोले, "जो कल से पी.टी. करने ग्राउंड पर नहीं आएगा, उसकी इस छड़ी से पिटाई होगी।" चार-पांच दिन तक ऐसा ही चलता रहा। छठवें दिन पापा ने देखा, गोलू बच्चों की लाइन में सबसे पीछे खड़ा हुआ था। पापा ने उसे देखकर अनदेखा कर दिया और बच्चों की पी.टी. करवाने लगे। गोलू भी बच्चों की देखा-देखी पी.टी. करने लगा। पापा ने गुड्डा उठाकर कमरे में छुपा दिया।

पंद्रह दिन हो गए गोलू को पी.टी. करते हुए। पापा ने एक दिन फिर गुड्डे को बाहर निकालकर रख दिया और पी.टी. करवाने लगे। पी.टी. करते समय गोलू का ध्यान बार-बार गुड्डे की तरफ जा रहा था। पी.टी. खत्म होते ही पापा ने छड़ी उठाई और डांटते हुए कहा, "कल से तू ग्राउंड का चक्कर दौड़कर लगाएगा और फिर फुटबॉल भी खेलेगा। नहीं तो पिटाई होगी और मैंने सुना है तू सिर्फ आलू की सब्जी के अलावा कोई सब्जी नहीं खाता है।"

गुड्डा बेचारा क्या बोलता, लेकिन गोलू सहम गया कि कल फिर गुड्डे की पिटाई होना है। दूसरे दिन पापा फिर प्रार्थना के बाद गुड्डे के पास पहुंच गए और छड़ी से पिटाई शुरू कर दी और बोलते जा रहे थे, "क्यों, कल फिर आलू की सब्जी खाई थी?" गोलू आज दीवाल के पीछे छुपकर यह तमाशा देख रहा था। पापा ने गोलू को दीवाल के पीछे छुपा देखकर भी अनदेखा कर दिया और गुड्डे की जोर-जोर से पिटाई

करने लगे। ताकत से मारने पर छड़ी टूट गई। फिर पापा ने गोलू को सुनाते हुए बच्चों से बोले, "कल एक मोटा डंडा लेकर आना, यह ऐसे नहीं मानेगा।" फिर अगले दिन गोलू ने देखा गुड्डे के पास एक मोटा डंडा रखा है।

आठ दिन बाद अचानक गोलू पापा के पास आकर बोला, "सर, मैं सभी प्रकार की सब्जियां खाने लगा हूं। रोज ग्राउंड का एक चक्कर लगाकर फुटबॉल खेलता हूं।" एक दिन प्रिंसिपल साहब ने पापा को फिर अपने कमरे में बुलाया। खुशी-खुशी बताने लगे, "आजकल गोलू में बहुत सुधार आ गया है। अब वह आलू की सब्जी की जिद नहीं करता।" पापा बोले, "हां सर, गोलू ने मुझे यह बात खुद बताई थी। आप देखते जाइए, एक साल में गोलू एक स्मार्ट और फुर्तीला बच्चा हो जाएगा।"

धीरे-धीरे समय का पहिया घूमने लगा। नवीं कक्षा में आते-आते गोलू स्कूल की फुटबॉल टीम में शामिल हो गया।

इधर कहानी सुनाते-सुनाते पिहू को मम्मी देख रही थी कि पिहू आंखें फाड़-फाड़कर और मन लगाकर कहानी सुन रहा था। मम्मी बोली, "अब आगे की कहानी मैं रात में सोते समय सुनाऊंगी, अभी खाना बनाना है।" पिहू बोला, "आप खाना बनाते-बनाते भी कहानी सुना सकती हो, मैं किचन में बैठ जाऊंगा।" मम्मी ने पूछा, "क्यों, मजा आ रहा है क्या?" तो बोला, "हां, बहुत मजा आ रहा है।" कहकर पिहू मम्मी के पीछे-पीछे किचन में आकर बैठ गया और कहने लगा, "आगे क्या हुआ?" "आगे कॉलेज की फुटबॉल टीम का कैप्टन बना और कॉलेज की पढ़ाई करने के बाद एयरफोर्स में पायलट बन गया। दो महीने बाद दीपावली पर परिवार सहित अपने घर आने वाले हैं, तब देखना गोलू मामा को, जो तुझे फोन पर गोलगप्पा कहते हैं।" पिहू बोला, "अच्छा, वो ही वाले मामा, जो लद्दाख में रहते हैं।"

मम्मी बोली, "तुझे नींद नहीं आई, मैं शर्त जीत गई।" "अरे यार, आप शर्त तो जीत गई, बस आज आलू की सब्जी बना दो, कल से आप जो बनाओगी, मैं खा लिया करूंगा।"

दूसरे दिन गोभी की सब्जी टिफिन में रख दी। दोपहर में पिहू आकर बोला, "अरे यार मम्मी, गोभी की सब्जी तो अच्छी बनी थी, मेरे दोस्त सौरभ को भी मजा आ

गया।" धीरे-धीरे पिहू ने खेलकूद में भाग लेना शुरू कर दिया। एक दिन घर आकर बोला, "मम्मी, मुझे बैडमिंटन का बल्ला दिलवा दो। हमारे स्कूल में सर ने आज बैडमिंटन खिलवाया था, मुझे यह गेम अच्छा लगा।" मम्मी खुशी-खुशी शाम को पिहू को मार्केट ले जाकर बल्ला दिला लाई।

दीपावली से आठ दिन पहले गोलू मामा का फोन आ गया कि, "हम लोग भाईदूज के दिन सिहोरा आ जाएंगे।" भाईदूज के दिन सुबह मम्मी मामा के स्वागत की तैयारी में लग गई। पिहू भी आज बहुत खुश था, वह भी छोटे-मोटे काम में मम्मी का हाथ बंटा रहा था। बड़ी बहन आश्चर्य से मम्मी से बोली, "क्या बात है मम्मी, आज आलू बड़ा तो बहुत काम कर रहा है।" पिहू बोला, "अरे यार मम्मी, दीदी को समझाओ।" "अरे, पिहू तो मेरा राजा बेटा हो गया है।" "हां यार मम्मी, आलू बड़ा तो थोड़ा पिचक भी गया है।" और दोनों खिलखिलाकर हंसने लगीं। पिहू गुस्सा हो गया और मयूरी को मारने दौड़ा। मयूरी बाहर भाग गई। पिहू भी अपने पापा के साथ मिठाई, फल-फ्रूट लेने मार्केट चल गया।

तीन बजे करीब घर के सामने बड़ी सी चमचमाती कार इनोवा आकर रुकी। उसमें गोलू मामा, मामी और दो बच्चे कार से उतरे। तभी मम्मी-पापा दौड़कर गोलू मामा के स्वागत के लिए दौड़े। गोलू मामा के परिवार ने मम्मी-पापा के पैर छुए। मम्मी ने गोलू मामा के बच्चों के सिर पर हाथ फेरा और सब लोग अंदर हॉल में आ गए। पिहू एकटक गोलू मामा को पर्दे के पीछे से घूरे जा रहा था। गोलू मामा एकदम स्मार्ट, लंबे, घनी मूंछें, रौबदार चेहरा। फिर मन ही मन सोच रहा था, 'मम्मी सही कह रही थीं, गोलू बहुत बड़ा अफसर है।'

दीदी पानी के गिलास भरकर ले आई। मामा ने मम्मी से पूछा, "गोलगप्पा कहां है?" मम्मी ने पिहू को आवाज लगाई तो पिहू शर्माता हुआ मम्मी के पीछे आकर खड़ा हो गया। मम्मी बोली, "ये गोलू मामा हैं और यह उनकी पत्नी और दो बच्चे हैं।" मामा ने आवाज दी, "हमारे पास तो आओ गोलगप्पे।" सभी हंस दिए। पिहू उनके पास जाकर सोफे पर बैठ गया। दीदी, "पिहू तो बहुत स्मार्ट हो गया है।" मम्मी बोली, "तेरी कहानी सुना-सुनाकर रास्ते पर ला रही हूं, आधा आ गया है, आधा अभी बाकी है।" मामा ने मयूरी दीदी से पूछा, "कौनसी क्लास में पढ़ती हो?" दीदी बोली, "मैं

बारहवीं और आपका आलू बड़ा 8वीं क्लास में गया है।" सभी खिलखिला कर हंस दिए। मामा बोले, "दीदी, अदरक वाली चाय बना दो, थकान दूर हो जाएगी।" दीदी खुशी-खुशी चाय भी और उसके बाद खाना भी। "नहीं दीदी, सिर्फ चाय, खाना शाम को, क्योंकि मम्मी-पापा ने बगैर खाना खाए आने नहीं दिया।" मामी मम्मी के साथ किचन में चली गईं। मामा ने अपने बच्चों शिखा और स्वर्णिम से पिहू का परिचय करवाया। बहुत जल्दी बच्चे दोस्त बन गए और पिहू उन्हें खेल के मैदान पर लेकर चल गया। मामा और पापा लॉन में पड़ी कुर्सियों पर आकर बैठ कर बातें करने लगे। थोड़ी देर में चाय आ गई, मामा-मामी, पापा चाय पीने लगे। बातें करते-करते मामा अचानक उठकर ग्राउंड की ओर जाने लगे। मम्मी और मामी समझ गईं, फिर एक बार अपने बचपन से मिलने जा रहे हैं। मामा ने फुटबॉल का अच्छा प्लेयर बनने के नियम और तरीके समझाए।

इधर मामी, मम्मी से बोली, "दीदी, शिखा के पापा आज भी ऑफिस से आते ही रोज फुटबॉल ग्राउंड पर जाते हैं। मुझे भी जबरदस्ती बैडमिंटन क्लब ज्वॉइन करवा दिए, कहने लगे, 'तुम्हारा देखा-देखी बच्चों में भी खेलने का जुनून सवार हो जाएगा।' और सही में, शिखा सातवीं में आने तक स्कूल में अच्छी बैडमिंटन खेलने लगी है और तीन मेडल भी जीते हैं।" तभी मामा की आवाज आई, "मयूरी!" मैं फौरन दौड़कर गेट पर पहुंची तो मामा बोले, "आओ, अपन लोग घूमकर आते हैं।" बाकी पहले ही कार में बैठ चुके थे। हम लोग पास के डैम पर घूमने चले गए। आते समय मार्केट से पिहू के लिए नई फुटबॉल, शूज और सभी के लिए मामा ने कपड़े खरीदे। शाम को घर में डाइनिंग टेबल पर खाना लग रहा था। सभी लोग एक साथ खाना खाने बैठ गए।

मम्मी बोली, "मैंने मामा की प्रिय सब्जी पूरे एक महीने बाद बनाई है।" और दो सब्जी, रायता, सलाद भी बनाया है। पिहू खुश हो गया। देर रात तक सारे बच्चे मामा को घेरकर कहानी सुनने लगे। किसी को भी नींद नहीं आ रही थी। बड़ा मजा आ रहा था।

अगले दिन मामा वापस अपने घर चले गए। लेकिन पिहू ने मामा को देखकर और उनसे ढेर सारी बातें कर मामा जैसा बनने का निर्णय ले लिया और दुगने उत्साह से पढ़ाई और फुटबॉल खेलने में लग गया। और अब उसके पास कहानी सुनने का

समय नहीं बच पाता था।

ना चाहो तो हमें गुमनाम ही रहने देना, पलकों पर न बिछाना। लेकिन गुलाब की चंद पंखुड़ियों से हमने धरा को सजाया है। चाहो तो आप इन्हें छूकर छोटा सा आसमां दे देना।

www.ingramcontent.com/pod-product-compliance
Lightning Source LLC
LaVergne TN
LVHW010058061026
849532LV00007BA/2480
* 9 7 8 9 3 9 5 6 9 7 5 4 5 *